WAC BUNKO

無邪気《ノーテンキ》な日本人よ、白昼夢から目覚めよ

川口マーン恵美

WAC

はじめに――日本人よ、白昼夢から目覚めよ！

想像してみて下さい。どこかの軍の基地にある無機質な部屋を。ずらりと並んだモニターが鈍い光を放ち、その前に座った軍人たちが、中央に出ている十字の照準を静かに眺めている……。これはフィクションではなく、現実の話です。アフガニスタンやイランで展開されているドローン攻撃は、地球の裏側から、通信衛星によって操作されています。彼らが遠いところでボタンを押すことによって、ミサイルをも発射できます。おそらく中国軍も北朝鮮軍も、すでに長らく、こうして仮想敵国「日本」の然るべき場所に攻撃の照準を定めているでしょう。そして、もちろんそのミサイルには核弾頭も搭載できる。なのに、私たちはその照準の真ん中で、何も気にせず、ごく普通に生活しているのです。

当然のことながら、私たちの置かれているこの状況は、本来なら、皆で心安らかに暮らせるほど安寧ではありません。その証拠に、たとえば北朝鮮からは、ときおり軽いジャブのようにミサイルが飛んでくる。たいていは日本海に落ちますが、日本列島を越えて太平洋側に落ちたこともありました。国民は、最初のうちこそ警戒しましたが、今では「また？」という感じで、警報を発するスマホを見ながら、椅子から立とうともしません。また、日本の固有の領土であるはずの尖閣諸島がいよいよ中国に取られそうなのに、気にしている人もあまりいません。

しかも、北海道や沖縄、北陸などでは、中国人が土地を買い占めています。水源があったり、自衛隊の施設の側であったりと、安全保障上、重要な土地が、日本を仮想敵国としている人たちの不動産として、どんどん拡大しつつあるのです。買収の対象となっているのはハイテク企業や大学も同じです。大学というのは、治外法権を作り上げるのには最適な隠れ蓑となります。しかしながら、ミサイル飛来も、領土喪失も、土地の買い占めも、企業の買収も、多くの日本人にとっては喫緊《きっきん》の問題と考えられてはいないのです。

人間はたいていのことに慣れることができますが、特に私たち日本人はそれが得意で、あっという間に危険にも慣れてしまいました。これ以上放置すれば、気がついた時には、日本はもう独立を失っているのではないでしょうか。

そもそも、現在の日本が真の独立国であるかどうかというのは、じっくりと考えてみるべきテーマです。有事の時には、〝米国が守ってくれることを祈る〟ということを第一の国防対策と考える人たちの国が、はたして独立国と言えるでしょうか？　それを多くの日本人が疑問にも思わないのは、やはり、憲法前文の、あの面妖な一文、「日本国民は、恒久の平和を念願し、人間相互の関係を支配する崇高な理想を深く自覚するのであつて、平和を愛する諸国民の公正と信義に信頼して、われらの安全と生存を保持しようと決意した」が、功を奏しているのだと思います。この意味をなさない文章が日本人を長い催眠状態に陥らせて70年が過ぎてしまったのです。いつか日本が戦争に巻き込まれるとしたら、一番の原因は、この平和憲法の「崇高な理想」のせいであると、私は思っています。そして、おそらく私たちは、有事の時には戦わずして、侵入してきた国によって平和裡に征服される事になるのでしょう。

実際問題として、現在、日本人が一番の危険として認識しなければならないのは、長期的には中国、直近では朝鮮半島です。朝鮮半島の未来に関してはいろいろなオプションがありますが、いずれにしても、日本が実際に核攻撃を受ける可能性は十分想定できます。

一方、中国に関しては、いつか気づいたら、日本が中国の支配下に入っていたというシナリオが、すでにかなり現実的です。少なくとも、中国の共産党政権が、日本人が想像もできないほどの超長期的視野で、それを着々と進めていることは間違いありません。それに比べて、日本政府には長期的視野などあるのかどうか……。

しかし、おそらくまず、最初に起こるのは、日本が朝鮮半島と中国からの難民で溢れかえることです。これについては、拙著『移民 難民 ドイツ・ヨーロッパの現実 2011-2019』(グッドブックス)で詳しく触れています。

日本人は現在、移民と難民の区別さえ付けられないという呑気な状態ですが、それは、いずれ一瞬で覆る。難民と称する人たちが、ボロ船で大挙して漕ぎ出し、日本海のあちこちで転覆し始めれば、朝鮮半島の両政府は、「ここは日本海なのだから、日本政府が助けろ」というでしょう。韓国人は、自分たちが日本海の呼称を「東海」に変えろと迫っていたことなど、きっと一瞬で忘れます。

日本政府は人道上、人間が溺れ死ぬのを見過ごすわけにはいきません。だから、誰に言われなくても、海保か海上自衛隊を救助に差し向ける。そうなれば、漂流者はあっという間に何百万にも膨れ上がり、終わりが見えない状況に突入するでしょう。これこそ悪夢です。

難民が、その受け入れ国にどれほどの打撃を与えるか、それは、シリア動乱以降のEUを見れば一目瞭然でしょう。EUには、中東難民はもちろん、中東難民を装った人たち、あるいは全然関係のない北アフリカの人たちまでが、大挙して流れ込みました。今、トランプ米大統領が退いた後のメキシコ国境でも、同じようなことが起こっているようで、メキシコ人だと主張する「未成年者」が、国境に殺到していると言います。日本もそうなったときにようやく、経済移民と難民の違いを思い知ったのでは遅すぎます。

日本の戦後の発展を考えるとき、一昔前まではドイツがよく引き合いに出されました。同じ敗戦国で、一方は焼け跡の中から、もう一方は瓦礫《がれき》の中から立ち上がり、勤勉で優秀な国民の努力によって経済大国として蘇ったという、あたかも不死鳥のような2国です。でも、ここ20年、この2国は袂《たもと》を分《わ》かちました。ドイツはEUを纏《まと》めることによって、経済と政治と、最近ではさらに軍事でも、世界の大国になろうという野望が露《あらわ》です。ヘゲモニーの拡張に役立つなら、中国と組むことさえやぶさかではない様子は、すでに不気味でもあります。これは重要なテーマの一つとして、本書の片隅で論じたいと思っています。

さて、片や日本は、戦後、一貫して軍事力や政治力を遠ざけ、経済に特化した発展を遂げましたが、今やその経済でも落ちこぼれています。日本企業で現在、大企業の世界ランキングに登場するのはトヨタだけです。しかし、それさえも、いつまで続くか心許ない。ＩＭＦ（国際通貨基金）の発表によれば、日本の名目ＧＤＰの、世界のＧＤＰに占める割合は、２０００年には14・４％でしたが、２０１９年にはたった５・８％に落ちています。そして、このままでは日本がまもなく独立さえ危ぶまれるようになるかもしれないという懸念は、日本を外から眺めた時、なおさら現実味を帯びてくるのです。

本書で私は、日本が独立国として存続するためには、どうすべきかということを考えたいと思います。もっと正確にいうならば、日本が将来、真の独立国になるには、今、何をすべきかということです。まずは、第二次世界大戦の二の舞を踏まないこと。つまり、エネルギー不足で墓穴を掘らないということが、非常に大切な鍵だと思っています。

戦前、日本は石油の８～９割を米国に頼っていました。それを断たれたために国家の存続が危うくなったのが、米国との開戦の原因でした。一方、現在のエネルギーの外国への依存率も８割で、当時とそれほど変わりません。これが断たれれば、国家の存続は再び危うくなるでしょう。

しかも、現在の問題は、誰かが日本のエネルギー供給を故意に断たなくても、国際紛争などでその輸送が滞る可能性が高いことです。スエズ運河で船が1隻、1週間、立ち往生しただけで、世界中のサプライチェーンに大きな支障が出るのです。日本のエネルギーも、常に政情不安な場所を通ってくるわけで、何かあれば、サプライチェーンなどと言っている場合ではなく、代替エネルギーの調達も容易ではなくなるでしょうし、経済が崩壊しても不思議ではありません。資源貧国の日本は、一刻も早くこの危険を回避する有効な方法を、しかも迅速に軌道に乗せなければなりません。方法はあります。

さらに大切なのは、日本が軍事攻撃されないよう、防衛の方法を根本から考え直すこと。攻撃されたら米国が守ってくれるでは間に合わない可能性が高くなっているし、もし、間に合わなければ、当然、被害と犠牲が大きすぎる。

あるいは、米軍が、日本が希望しているような形で守ってくれないこともあり得ます。例えば、「尖閣諸島に誰かが上陸したから追い払って」と言っても、そのような「おんぶに抱っこ」が拒否される可能性です。だから、最初からそんなことが起こらないよう、こちらの抑止力を高めることが肝要でしょう。その方法もないわけではありません。

昨今、ようやく中国の台頭に世界の国々が気づいてきて、自由で開かれたインド太平洋などと言って、実質的な「対中包囲網」を作ろうという動きがあります。これが、いわばNATOのアジア版となり、日本の自衛隊も将来、合同の軍事演習に参加する可能性も出てきました。よく考えれば、これが機能することで一番恩恵を受けるのが日本でしょうから、これに自衛隊が参加し、自国の防衛は他人事ではないということを、日本人が76年ぶりに思い出すには、良いチャンスかと思います。本書の目的は、日本が生き延びる方法について考察することです。危機は迫っています。日本人が白昼夢から目覚めることを願ってやみません。

川口マーン惠美

無邪気《ノーテンキ》な日本人よ、白昼夢から目覚めよ

◉目次

装幀　須川貴弘（ＷＡＣ装幀室）

第一章　国防意識と危機感が欠如した日本人

核ミサイルで南北統一が可能に

まずは、日本人にとって一番身近な朝鮮半島のことから入りたいと思います。個人的に知っている北朝鮮人はいないため、韓国人についていうなら、彼らの多くはドイツ人に大きな共感を覚えています。国家分断の悲劇を知っているドイツ人とは、その悲哀を共にできるはずという思い入れが強いからです。

一方の北朝鮮も、かつての東ドイツとの間に、同じ社会主義国としての太いパイプを持っていました。だからその名残《なごり》で、おそらく今も北朝鮮におけるドイツ人の覚えは良いと思われます。つまり朝鮮半島では、北も南もドイツ贔屓が多いのです。

ただ、これまで、「ドイツは統一を果たした。朝鮮半島もいつか！」というような朝鮮半島の人たちの話を聞いたり読んだりするたびに、私は「ちょっと待って」と思いました。

統一当時の西ドイツは、米国、日本に次ぐ世界第3位の経済大国で、ハイテクの国でした。片や東ドイツも、経済的にはかなり破綻していたとはいえ、ソ連の衛星国の中ではダントツで豊かだった。外貨不足のため輸入品には事欠いてはいたものの、だからと言って人々が飢えていたわけではありません。教育程度は高く、音楽家は素晴らしく、スポーツ選手は強かった。医学や科学はそれなりの水準を保ち、医療保険や年金も整備されていました。何よりも託児所が完備し、男女は平等だった。ただ、自由と人権が不足していただけです。

しかし、豊かな西ドイツでさえ、その、〝かなり進んだ国〟であった東ドイツを抱えた途端、苦難の淵にはまり込んだ。それどころか、30年が過ぎた今も、東西の経済格差や意識の隔たりは消えていないのです。

では、朝鮮半島は？　現在の韓国は豊かな産業国であるとはいえ、当時の西ドイツの豊かさには劣ります。さらに致命的なのは、北朝鮮の貧しさ。食料が不十分なだけでなく、数年に一度は悲惨な飢饉の噂まで伝わってきます。それに、工業も農業も商業も、私たちの目には壊滅状態に映ります。しかも、もし統一が叶ったとして、一番の問題は人々の意識でしょう。北では、一部のエリートを除けば、多くの人々は、世界情勢を知らないことにかけては、月の裏側に住んでいたのと変わりません。韓国の国民はそんな人々と、ただ同じ民族だという理由だけで、果たしてすぐにアイデンティティを共有できるでしょうか？

いずれにしても、このように甚大な経済的お荷物を抱えてしまったら、朝鮮半島は北も南も総じて貧しくなることは間違いありません。今の韓国の水準に戻るまでに、少なくとも50年はかかるのではないでしょうか。韓国は早まるべきではない……と、いつも私は心の中で結論づけていました。

ただ、当然のことながらこの結論は、朝鮮半島の統一は、かつて豊かな西ドイツが貧しい東ドイツを、それこそ有無を言わせずに「併合」したように、豊かな韓国が、何も持たない北朝鮮を併合するという前提で想像を巡らせた結果です。ところが今、状況は劇的に変わりつつあります。

具体的にいうなら、何も持たない北朝鮮が韓国を併合し、いずれ韓国の資産で肥え太るというシナリオが、現実味を帯びてきたということです。何も持たない北朝鮮というのは、もちろん正しくありません。正確には、核ミサイルとその技術以外には何も持たない北朝鮮です。つまり、言い換えれば、核ミサイルは、それだけ持てば韓国を併合できるほどオールマイティだということです。

最近、日本では、韓国が北朝鮮にすり寄っているということが取り沙汰されています。しかし、冷静に考えてみれば、これは当然の帰結でしょう。日本人は目下のところ、北朝鮮の核の危険をあまり認識していませんが、いつか目が覚めて、認識するようになれば、おそらく日本も北朝鮮に擦り寄るしかなくなるでしょう。日本人は、それが嫌さに、今、見るべきものを見ないようにしているだけです。胸元にピストルを突きつけられても、それを見ず、〝冷静に〟状況判断をしている。いつまで見ないでいられるかということは、考えないのでわかりません。

ただ、見るにせよ、見ないにせよ、北朝鮮が核を持っていることは歴然とした事実で、その気になれば日本を核攻撃できるということもおそらく事実です。それを防ごうと思ったら、今や、米国でさえ犠牲を覚悟しなければならない。北朝鮮のGDPは正確な統計はありませんが、2018年1月の産経新聞によると、米国の約1000分の1、ほぼ鳥取県並みと言われています。そんな、本来なら吹けば飛ぶような国に、世界の大国が揃って安全保障上の首根っこを押さえられるなどというバカバカしいことに、いったいなぜ、なってしまったのでしょうか？

イランと北朝鮮の核は闇の中

そもそも、北朝鮮は核を持てないはずでした。北朝鮮だけでなく、イランも持てないはずですが、彼らは持つための果てしない努力を続けてきました。

なぜ、北朝鮮やイランが、本来なら核を持てないかというと、それは、核不拡散条約（ＮＰＴ）によるものです。これは、核兵器の拡散を防ぐために、世界の国々を「核兵器国」と「非核兵器国」の二種類に分けたという奇妙な条約で、１９６８年、国連で調印されました。

「核兵器国」とは、外務省のホームページによると、「一九六七年一月一日以前に核兵器を製造し、爆発させた国」となっています。そこで中国は大慌てで核実験を行い、「核兵器国」の仲間に滑り込んだ。つまり、日本のすぐ隣で長きにわたって核実験が行われていたわけで、もちろん風に乗って放射性物質が飛んできたこともわかっています。しかし、なぜか、誰も大した抗議もしなかったのです。

いずれにしても、こうしてＮＰＴに基づいて、世界の国々のうちで、アメリカ、ソ連

（当時）、イギリス、フランス、中国の五カ国だけが、未来永劫、核兵器を保有してもよいことが決まりました。ＮＰＴには、核兵器国は「誠実に核軍縮交渉をおこなう義務を有する」ということが明記されていますが、もちろん、そんなことは守られてもいません。

それどころか、当時、駆け込み核実験で「核兵器国」の権利を手にした中国は、その後、30年近くもＮＰＴには署名をしませんでした。そして、その間に十分に実験をし、核兵器を溜め込んで、さらにはパキスタンの核開発まで助けたのです。

そのパキスタンは、ＮＰＴは不平等であるとして加盟しなかったため、今では立派な核保有国です。そして、中国と同じくミサイルの照準をインドに定めています。

中国とパキスタンに狙われているそのインドが、あっさりと核の保有を諦めるはずは、もちろんありません。だから、やはりＮＰＴには加盟せず、今ではやはり核の保有国です。ミサイルの方向は、間違いなく中国とパキスタンに向いているでしょう。

イスラエルもＮＰＴ未加盟国。核については口が固いものの、持っていることは間違いありません。そのイスラエルの最大の敵がイラン。もちろん、イランも狙われたままおとなしくしているわけはなく、こっそりウランを濃縮しているという噂が前々からささやかれていました。ただし、イランは曲がりなりにもＮＰＴの加盟国なので、これは重大な条約違反ということになります。

アメリカとイランは犬猿の仲で、アメリカは1979年の〝イラン革命〟の時のアメリカ大使館人質事件で、完全にイランでの覇権を失って以来、ずっと制裁をかけ続けていました。ところが、2000年代になって、イランの人権侵害や核開発の疑いが濃くなったとして、アメリカの主導で国連も制裁に踏み切り、イランは二進《にっち》も三進《さっち》も行かないという状況に押し込められています。イランがそれを嫌い、今からNPTを抜けたとしても、もちろん、経済制裁が解除されることなど絶対にありません。

ところが2015年、イランと、核保有国5国（米英仏露中）とドイツが、長らく交渉が続いていた核合意を締結しました。これは、イランに色々な制限をかけて、核兵器が作れないようにし、その代わりに経済制裁を解くというものです。イラン側は、経済制裁の解除が魅力で同意はしましたが、同じく核を持つパキスタンやインド、特にイスラエルなどには、これまでも何のお咎めもなかったことを思えば、イランがこの核合意に心の底から納得していたとは思えません。

なお、核兵器国でないドイツがこの核合意の交渉に影響力を及ぼしていたのは、戦前から続くドイツとイランの交易の賜物《たまもの》でした。ドイツは伝統的にイランと仲がよく、原発の技術にも、ドイツの主要企業が関わっていました。

いずれにしても、オバマ政権下で結ばれたこの核合意は、色々なことに目を瞑って進められたともいえます。ですから、2017年、政権に就いたトランプ前大統領は、すぐさまこれを蹴っ飛ばしました。彼に言わせれば、この核合意は、ドイツやフランスがイランとの交易を復活させたいばかりに、イランの核開発を体よく黙認したものなのです。

こうして、核合意から脱退した米国と、独仏を中心とするヨーロッパ勢との間は気まずくなりましたが、バイデン政権になった現在、米国は核合意に復帰したため、イランと欧米の間は、一瞬、修復されるかのように見えました。ところが、イランは2021年4月になって、突然、ウランの濃縮度を60％に高めると発表し、核合意はにわかに破綻を来《きた》し始めました。濃縮度60％というと、もうすぐ原爆を作りますと予告したようなものです。結局、イランが何をしているかは闇の中。中東状況はにわかに緊張し始めています。

一方、こうして欧米がイランに気を取られていた長年の間に、粛々と核兵器を作ってしまったのが北朝鮮です。実は北朝鮮も、最初はNPTに加盟していましたが、IAEA（国際原子力機関）の監視団がしょっちゅう出入りするのが気に食わず脱退してしまった。そのせいで、もちろんイランと同様、経済制裁も受けていますが、元々、極貧国だったので、物資不足にはかえって強いようです。窮乏に文句を言う国民もいないし、しかも隣には、北朝鮮の核開発を陰《いん》に陽《よう》に助けてくれる中国もいます。

そうするうちに北朝鮮の核が完成し、それを飛ばすミサイルもできました。そして、〝金王朝〟の独裁者が、それらの技術を他国に売って生き延びるという、世界平和にとっての最悪の状態が恒常化しました。つまり、今や北朝鮮の脅威は大きく、しかも、これからさらに大きくなる可能性があるわけです。

「平和憲法」と「核の傘」の矛盾

そして、その脅威をもろに受けているのが、いうまでもなく日本と、在日米軍です。米軍は韓国にも駐留していますが、韓国人は、おそらく北朝鮮に逆らうこともないでしょう。いざとなれば、言われるままに米軍を追い払うかもしれません。だから、北朝鮮が米軍を狙うとすれば、在韓ではなく、在日の基地の可能性が高い。そうなればもちろん、日本も無傷ではいられません。

危険をさらにエスカレートさせているのが、北朝鮮が指導者の一存で物事が決まる国家であるという事実です。かつてヒトラーは、戦争に敗れるような不甲斐ない国民に未練はないとして、敗北する時は国ごと滅亡させようと考えていたと言われます。おそらく北朝鮮の指導者も同じく、それほど自国に未練はなさそうですから、もし四面楚歌になり、自分の最期が迫れば、「あとは野となれ、山となれ！」と、果敢に核ミサイルの発射ボタンを押すような気がしてなりません。日本にとっては悪夢です。

つまり現在の日本は、前段からの文脈でいけば、「いくら平和を愛する日本人であっても、この状態を看過できるはずはなく……」となってもおかしくないほど切羽詰まった状況のはずなのですが、しかし、なぜか、決してそうはならない。日本人は何よりも「平和憲法」を尊重するからです。憲法前文の「平和を愛する諸国民の公正と信義に信頼して」の「諸国民」には、北朝鮮の指導者も含まれるのです。これほど奇怪な話が、はたして他にあるでしょうか？

ただ、日本人は、昔からここまで想像力が欠如していたわけではありません。1960年代、日本にとっての核の脅威は北朝鮮ではなく中国でしたが、当時の政治家たちは、その危機をちゃんと見極め、対処しようとしていました。中国に核兵器を突きつけられたままでは、いずれ従属国になってしまう。日本も、せめて抑止力としての核を持つべきだという意見は、日本の政治家の間で意外と強かった。思えば、非常に真っ当な思考が存在したのです。ところが、それを何が何でも阻止しようとしたのが、「核兵器国」の米国でした。

そこで米国は、NPTに加わることを躊躇している日本に圧力をかけるため、エネルギーに王手をかけました。折しも、日本は経済成長の真っ只中。電気はいくらあっても足りなかったと言うのに、突然、原子力発電用の燃料であるウランの入手が困難になりました。対米開戦前、米国に石油を止められたのと、その構造はまるで変わっていません。

しかし、いくらエネルギーが必要だからと言って、日本が丸腰でいるわけにはいきません。エネルギー不足も、核攻撃も、どちらも日本の死活問題でした。日本の政治家たちはジレンマに陥り、NPTの交渉は困難を極めました。

結局、その妥協策として登場したのが「核の傘」です。米国は日本に核を持たせないため、自分たちの核を抑止力として、日本を守ることを決断したのです。これを受けて、佐藤内閣の下で「非核三原則」が決まりました。「核兵器を持たず、作らず、持ち込ませず」。そして、今思えば、これこそが、国防を人任せにして戦争反対を叫ぶという私たちの矛盾の素になったわけです。

１９７０年、ようやく日本はＮＰＴに署名し、他の１８５カ国と並んで正式に「非核兵器国」となりました。安全保障を米国に丸投げしたおかげで、以後の日本は心置きなく経済活動に励み、輝かしい成長を遂げることができました。しかし、その経済成長も、バブルの崩壊までの話で、その後の30年はＧＤＰ（国民総生産）も頭打ちです。今の若者たちは可哀想に、豊かな日本を知らないままです。

その上、私たちは、胸元にずっと中国の銃口が突きつけられてきたことにもすっかり慣れてしまい、今、もう一つ北朝鮮の銃口が加わったところで、危機感が高まることもありません。それにしても、一番近くにある韓国、北朝鮮、中国という隣国が、政府が事あるごとに反日を掲げ、その度に多くの国民が呼応して日の丸を燃やすような国であるとは、なんとも因果な話です。ただ、それを嘆いていても事態は好転しません。

日本人は危機感が希薄だと述べました。危機感というのが、自分のいる状況を危険だと感じることだとすれば、私たち日本人は皆、現在の状況が決して安全でないことぐらい分かっているはずです。つまり、危機感はあるのです。

要するに問題は、危険とわかっていても、だから防衛しなければならないとは考えないことでしょう。動物は、危険が迫れば自己防衛本能が働きます。人間も例外ではなく、敵から愛する人や自分の身を守ろうとします。そのためには、まず、敵が攻めて来られないような状況を作ろうと考えるでしょう。しかし、どうも、私たちの頭は、そういう思考回路にはなっていないらしいのです。

第2のＧＨＱは「中国」なのか！

イタリアにサルディニア島という大きな島があります。その島の出身者と話したとき、私が、「お魚が美味しいでしょう」と言うと、「昔は、あまり魚は食べませんでした」と言われて意外に思ったことがあります。「なぜ？」

すると、その人は答えました。「侵略者は必ず海から来たので、私たちは山の上の方に住み、羊を飼って暮らしました」と。日本人は海に守られていると感じながら何千年も暮らしてきましたが、世界には、同じ島国でもまるで違う感覚を持って、警戒心とともに暮らしていた人たちがいたのです。日本人に、敵が攻めてくるかもしれないとか、敵が攻めてこられないようにしなければいけないと言った思考が働かないのは、そのせいもあるのではないでしょうか。

日本で大きな不幸といえば、たいてい地震や津波といった天災で、どのみち人間の力では防げないものでした。だから、そういう天災に襲われたら、皆で慰め合い、一緒にまた頑張ろうと励まし合う気質が養われたのかもしれません。それに比べてヨーロッパの不幸は、戦乱、それに続く侵略という人災によるものが多かった。被害を少なくするには、危機を察知する能力が問われたことでしょう。自ずと、不穏の空気を読み、守りを固くするという防衛本能が養われました。あるいは、相手が強すぎる場合には、交渉術も発達したはずです。

世界には、その自己防衛本能がことさら強い国があります。たとえばスイス。スイスについて書いた拙著（『世界一豊かなスイスとそっくりな国ニッポン』講談社＋α新書）から、一部を引用させていただきます。

スイス人をまとめているのは、危機感と国防意識だという説がある。スイスという国の基礎が作られたのが一二九一年。それよりつい最近まで、この小さな国は常に、いつ周りの大国に蹂躙され、なくなってしまっても不思議ではない時間を生き抜いてきた。だからこそ、伝統的に、国防が最重要事項なのである。

スイスの学校では、愛国心が教育され、体育に力が入れられる。先祖がいかに国を守ってきたか、現在、いかなる危機が国を脅かしているか、有事の際は、どのように国を守っていくべきかなど、民間防衛の歴史とノウハウを、男も女も大人も子供も、常に教え込まれてきた。

スイス軍では、職業軍人と徴兵軍人の数は、全体の五%を占めるだけだ。あとの九五%は予備役で構成されている。予備役というのは二〇歳から三四歳（特殊な任務では五〇歳）までの男子で、彼らが随時徴集され、一定の期間、軍に加わる。「スイスに軍隊はない、スイス自体が軍隊である」といわれる所以だ。

冷戦中、スイスを旅していると、突然、アルプスの山中で兵隊の行軍を見かけることがあった。傍目には遠足のように気楽そうだが、実はアルプスには岩壁をくり抜いて、秘密基地が多く築かれていた。そして峠では、有事の際に直ちにそれを封鎖して国境を防衛する訓練がなされていた。また、爆破、それがうまくいかなければ焦土戦も覚悟のうえで、敵の侵入を防ぐ訓練が常に行われていたのである。

その危機感が急速に薄れたのはここ二五年、冷戦が終了して以来のことだ。このまま放っておけば危機感はさらに薄れていく。

しかしスイス政府にしてみれば、危機感を全面的に解いてしまうことなど、罷りならない。この国は、危機感と、国防の義務感によってまとまっているからである。危機感を保つ方針は、いうなれば国是である。

スイスの国防省の正式名は、「国防、民間防衛、スポーツのための省」である。この名前が多くを表しているだろう。軍国主義と民主主義を、ここまで上手にミックスした手腕は、たいしたものである。

つまり危機感は、平時には意識的に活性化しておかなければ薄まってしまい、いざというとき、取り返しのつかない事態を招くのです。大自然の広がる永久中立国スイスは、決して、日本人の想像するような長閑《のどか》な国ではありません。

ところが、日本では戦後、ＧＨＱの意向もあり、危機感は意識的に「無効」にされた。そして、それが功を奏し、危機感を捨てれば、平和であるかのように皆が信じています。このままいけば、まず、経済が外国資本によって虫食い状態になり、国の形骸は保てても、主権の在処が曖昧になってしまう可能性が高いでしょう。そのときに進駐してくる第二のＧＨＱが米国でないことは、火を見るよりも明らかです。だからこそ、余計に恐ろしいのです。

なのに、日本では未だに、国防について考える教育も、あるいは、国民に現実に存在する危機を啓蒙する広報も、一切行われていません。これから行う予定さえない。今や日本を襲う危機は、ミサイルだけとは限りませんが、政治家は、国民に不安を与えないことを自分たちの本分と考えているようで、一方の国民の間にも、見たくないものは見ないという性向がしっかりと根付いてしまっています。そういう意味では、日本の構造は官民一体で危機感の発露を抑える構造になっているといえるでしょう。

第二章　「日本の国土、売ります」でいいのか？

外国人に爆買いされる日本

日本の抱えている危機とは何かということを挙げていくと、北朝鮮の核の脅威を除いたとしても、すでに長いリストができます。最初に言わなければならないのは、今や全国で進んでいる外国人による不動産の購入です。これは、領海侵犯ほど目につかないだけに、より危険だと思います。

北海道本島や礼文・利尻島、新潟県の佐渡島、沖縄や奄美大島、長崎県の五島列島などは、主に中国人によって買われています。一方、長崎県の対馬市は韓国人によって買われていましたが、現在、韓国経済の低調により、それらが中国人に売却されていると聞きます。その他、ベトナム人やシンガポール人も増えたようですが、この中には華僑も多く含まれているのかもしれません。

いずれにせよ、日本全体では、ほぼ北海道に相当するほどの広大な面積が、すでに外国人、主に中国人の物になっているらしいのですが、残念ながら詳細は不明です。自由主義をとっている国では、いわゆる「内国民待遇」と言って、国内にいる人間は皆、「内国民」で、国籍による差別も区別もしてはいけないという原則を取っているため、不動産の売却の際、買った人の国籍は問わず、もちろん、記録も残りません。もっとも、たとえ国籍が日本だとしても、大した救いにもならない。要は、その背景に誰がいて、その人たちが、どのような目的を持っているのかということなのです。

不動産を一番爆買いしているのは中国人なので、日本人の間では、彼らを非難する空気が強いのですが、しかし、彼らのしていることは別に違法行為ではありません。ただ、実際問題としては、日本の土地がおそらく未来永劫、中国人の手に渡るのですから、そういう意味では、やはり問題で、では、売った日本人が悪いかとなると、やはり、それも違うでしょう。市場の何倍もの価格が提示されれば、誰だって売りたくなります。しかも、それが、普通なら二束三文でも売れないような土地だとしたら、なおのこと。これで子供達にお金を残してやれると、普通の親ならホッとするでしょう。

外国資本による不動産買収の一番の懸念はというと、いうまでもなく、それを買っている人たちの素性です。もちろん、日本は自由で、清潔で、住みやすく、政府が転覆することもなさそうなので、単に、良い投資先だと見込んでいるだけの、悪意のない中国人もたくさんいることだろうと思います。しかし、一方で、明らかに中国共産党の、いずれ日本を征服するという百年の計に従って動いている人たちもいます。そして、どちらのケースであったとしても、彼らは皆、子供の時から教育の一環として反日精神を叩き込まれています。それは、現在の彼らの信条、あるいは、中国政府に批判的かどうかということに関わらず、簡単には消え去らないのではないかと思います。それが問題なのです。

日本に置き換えてみたら信じられない話ですが、中国人は外国に暮らしていても、反日を国是とする中国政府の影響から完全にフリーなわけではない。つまり、このまま彼らによる日本の不動産の買収が進めば、将来、日本の中に中国政府が動かせる反日分子が増えていく可能性があります。それは、いずれ日本のあちこちに、中国の治外法権ができるということなのです。

この問題をずっと取り上げてきた産経新聞編集委員の宮本雅史氏の指摘によると、

「中国では、10年2月、国防動員法なる法律が採択、公布され、同年7月に施行された。全14章72の条文からなり、一言でいうと、中国国内で戦争や武力衝突が起きた場合、金融機関や交通輸送手段、港湾施設、報道やインターネット、医療機関、建設、貿易、食糧など、民間資源をすべて政府の管理下に置くことができるというものだ。さらに、動員命令が出されると18~60歳の男性と、18~55歳の女性が国防義務を負うことになる。免除条件に『外国に居住する者』とは書かれていないため、日本にいる中国人も有事の際は中国軍に動員され、日本にいながら破壊活動や軍事活動を展開する要員になる(2020年12月20日付WEDGE Infinity)」。

また、「11年3月11日の東日本大震災時、新潟の中国総領事館が5日後の16~21日に、東北地方に住む中国人1万人以上を新潟市体育館など3カ所に集め、5711人を新潟空港から30便の臨時便で上海とハルピンに向けて出国させた。ところが、この3カ所には日本人は立ち入れなかった。ある県議会関係者は『総領事館は治外法権になるが、市の施設を貸しただけなのに、体育館なども治外法権になった』と語る」

つまり、将来、「国防動員法が発令され、動員された在日の中国人が買収された森林や農地などに集結」すれば、事態は私たちが想像してもいなかった方向へ進む可能性があるわけです。それどころか、すでにそういう場所には、私たちが知らない間に、さまざまなものが建設されてしまっているかもしれないのです。

「侵略？　まさか！」と、長らく日本人は思ってきましたが、今やチベットもウイグルも香港も、中国共産党の思いのままになりつつあります。中国の指導者というのは、直近の利益にも敏感ですが、同時に、自分が死んだ後にようやく達成できるような遠大な目標を立てることも極めて上手です。中国にとってチベット、ウイグル、内モンゴル、香港、おそらくこの先の台湾の獲得は、彼らの腕力が充実してきたから急に思いついた話ではなく、ずっと昔、彼らがまだ貧しく弱かった頃に立てた目標です。それが今になって着々と叶いつつあるのですから、この国は怖いのです。

ジブチ、モルディブ、スリランカなどは、すでに落とされたと思って良いかもしれません。その作戦はまもなく、尖閣、沖縄にまで及ぶでしょう。そして、さらにその先には、最終目的、あるいは、準最終目的の「日本併合」が見え隠れしているのではないでしょうか。

もはや日本侵略計画は終盤段階

では、その日本併合計画はどこまで進んでいるのか？　国土資源総研所長の平野秀樹氏によれば、それはすでに侵略されているレベルなのだそうです。

平野氏は、農水省の林野庁で辺境に関わる仕事を半世紀近くも続けてきた人で、ここ10年はもっぱら、外資による日本の国土の買収、特に辺境地域の買収を追ってきました。『奪われる日本の森』（２０１０年。新潮文庫）、『領土消失』（２０１８年。角川新書）という著作に続いて、最新作が２０１９年の『日本はすでに侵略されている』（新潮新書）です。

本のタイトルというのは、売らんかなで少し誇張することが多いのですが、この本の場合は、読んだ後の絶望感の方が、タイトルの印象から受けたそれよりもさらに大きかった。離れ島を含む辺境地域は、これまでも過疎化、無人化という問題を抱えていましたが、今、それが外国化、より正確にいうなら中国化に変わったわけです。つまり、無人化よりもさらに深刻な安全保障の問題が拡大しているということです。

孫氏の兵法に、「智将は務めて敵に食《は》む」という言葉があるそうです。いきなり軍事的に侵略するのではなく、経済、領土、エネルギー、水や食糧など幅広い分野で目立たないように静かに相手の国の富を掠《かす》め取っていくことです。大国のこうした意図に小国が気づいた時、侵蝕はもう終盤に入っている。氏の著書『日本はすでに侵略されている』は、まさに中国の日本侵略計画が終盤に入っていることを示しています。

同書は、中国が巨額を使って買い占めている南の島々が、ことごとく日本の安全保障上の最重要な地点であることや、北海道の広大な土地の所有者はペーパーカンパニーで行方が掴めず、固定資産税も徴収できていない様子など、背筋の寒くなるような事実が満載です。一冊まるごと抜粋したいほどですが、そういうわけにもいかないので、ぜひ一人でも多くの方に読んでいただき、危機感を新たにしていただきたいと願います。

なお、前述の宮本雅史氏によれば、北海道でこれまで買収された土地の面積を合わせると２９４６haで、東京ドーム約６２７個分。しかも、実はこれは水源地に絡む森林に限った数字だそうです。つまり、実際の規模はもっとずっと大きい可能性が高いわけで、買った人の内訳は、おそらく中国が背後にいるだろうと思われるペーパーカンパニーなども含めると、９割近くが中国資本だそうです。

日本政府は外資による投資を歓迎しているのだから、これがなぜ悪い？　という意見ももちろんあるでしょう。あとで触れますが、ドイツでは多文化共生を振興しているため、移民や難民の増加は問題ではあり得ず、アメリカでメキシコからの移民の流入を制限しようとしたトランプ前大統領のことを、人権を無視する良からぬ人物として非難しました。つまり、この世界的風潮の中では、「日本の土地が……」などと言えば、国家主義者として糾弾されかねないわけです。ただし、だからと言ってドイツ人が、無制限に外国人に安全保障上の重要な土地を売っているかというと、それはありません。

なお、北海道や沖縄で起こっていることを見る限り、少なくともそこの住民は、「何らかの利益」のために中国を歓迎しています。だからこそ、親中政治家が当選するのです。

そして問題は、その「何らかの利益」が日本の国益と合致しないにもかかわらず、それを大所高所から俯瞰《ふかん》して警告する政治家がいないことなのです。その結果、防衛省が懸命に国土を守ろうとしている傍らで、公明党の主導する国土交通省が中国資本を招き入れ、結果的に国土が売られていくという民主主義ならではの「喜劇」が起こっているわけです。

さらに言えば、この現象は、何十年も地方を、とりわけ過疎地を放ったらかしにしてきた政府の責任でもあります。そして、ここまで国土が侵食されても、肝心の国民が全く危機感を覚えていないという事実。どちらを向いても戦慄を覚えることばかりです。

土地は、一度売ると、なかなか取り戻せません。すでに外国資本の手にある土地の水源、道路、電信網は、いったいどうなるのでしょう？　日本の自治体が、定期的に税金で整備させていただくということになるのでしょうか。

2020年、政府はようやく重い腰を上げ、新たな制度の導入を検討すると発表しました。つまり、取得制限を設ける。その対象は、自衛隊の基地や原子力発電所や国境離島など、重要施設周辺の土地が想定されているといいます。ただ、もうすでに買われてしまっているところも多いから、手遅れかもしれません。

いずれにせよ、安全保障上の最重要地を、これほど「平等に」、誰にでも売ってしまった国というのは、先進国では日本だけのようです。しかも、日本の土地は、一度所有するとその権利は、最終処分権までを含む極めて強いものだといいます。あとで収用することも、まず不可能。欧米、あるいは、インド、韓国などでは、外国人の土地購入にはいろいろな制限や条件がつきます。特に、日本の将来を考えた場合、水源地が買われているという事実は、深刻などという言葉では済ませられないのではないですか。この期に及んで政府がまだ「私権の制限に繋がるから」などという理由で法改正に尻込みするならば、国民は断固とした意思で対処しなければならないと感じます。

追記：重要施設周辺や国境離島などにおける土地の利用状況の調査や利用の規制に関する法案が、ようやく内閣立法で成立しそうです。しかし、たとえ成立しても、かなり骨抜きになる可能性が出てきたと言われています。はっきり言って理解できません。

琉球新報は、「不動産取引という経済行為を制限するだけでなく、土地所有者らの思想にまで政府が立ち入る可能性がある」とか、「私権が侵害されることは明らか」として、「財産権や内心の自由にも及ぶかもしれない法律が『公共の福祉』の名の下に認められるものか。政府は法案を撤回した上で国民的議論によって規制の必要性を問うべきだ」（2021年3月7日）と書いていましたが、日本の安全保障上の問題など、完全にすっぽ抜けています。これが本当に国民的議論になると、どう展開するのでしょう。日本の領土がだんだん外国人の所有になることに、誰も異存はないのでしょうか。それとも、国民的議論にならないうちに、静かに処理されるのでしょうか。

第三章　奪われる寸前の尖閣

「遺憾」「懸念」「抗議」は子守唄にしか聞こえない

国家というのは、国民と主権（憲法）と領土という3要素でなっています。なのに、日本では領土がどんどん切り売りされている事は、前章で記した通りです。国家の要素の一つが消失していく。これが外資の呼び込み政策に基づいているとすれば、本末転倒も甚だしいと思います。

日本での、安全保障上のもう一つの重要地域は国境離島です。中でも尖閣諸島では、最近、中国〝公船〟が連日のように、排他的経済水域（EEZ）や接続水域はもとより、日本の領海にまで侵入している。今や日本政府の「まことに遺憾」、「強い懸念」、「厳重な抗議」など、彼らにとっては子守唄のようなものでしょう。肝心の日本人も、政府の尖閣防衛など、もうあまり本気にしていません。

主要メディアも、「領海侵入は今年に入って以来、すでに×回目」とか、「中国公船の領海滞在時間は過去最高」などということをベタ記事で報道するだけです。それどころか、「中国側は尖閣の領有を主張している」と、さも中立の様を装った書き振り。防衛の世論を盛り上げようなどという気はサラサラないようです。2020年11月の日中外相共同記者会見の時、中国の外相に尖閣は中国の領土だと言われながら、日本の外相が何も言い返さなかったことは、まさに衝撃的でした。

日本には国境離島と呼ばれる島が525島もあるそうです。尖閣諸島はその中でも、安全保障上、かなり重要な場所に位置している。1960年代の終わり、石油や天然ガスが大量に埋蔵している可能性が明らかになってからは、中国があからさまに領有を主張し始めました。しかも、最近はここが、中国の太平洋の覇権拡張のためには、何が何でも手に入れたい海域となっているようです。

その尖閣諸島を訪れたことがあります。日本政府は、「尖閣に領土問題は存在しない」と言いつつ、実際には主権を行使することを遠慮しており、かろうじて、石垣島の漁船だけが、漁業活動のために尖閣諸島に近づける状態です。

そこで、2011年、「日本の海なのだから日本人の存在を示す」という信念の下、日本文化チャンネル桜の「頑張れ日本！全国行動委員会」が視聴者から募《つの》った寄付金で漁船「第1桜丸」を購入、「尖閣漁業調査活動」を立ち上げました。石垣島の漁師さんたちが尖閣に漁に行くとき、共に出漁するという企画です。第1桜丸には、石垣の漁師のほか、ジャーナリストやカメラマン、政治家らも乗り込んで、海底調査や取材や視察を行います。ときには、僧侶に同行してもらい、海上で尖閣で没した人たちの供養をしたこともありました。これらは全てYouTubeで見ることができます。

石垣から尖閣諸島までは約140㎞、8時間の路程です。私が参加したのは2012年6月、同企画の9度目の遠征で、東京都議7名のほか、元自衛官や潜水カメラマンなどが同行しました。出航前の水産庁の立ち入り検査では、皆、「漁業見習い」という肩書きです。日本の領海なのに、政治家までが漁業見習いに化けなければならないのは、どこかおかしくないでしょうか？

尖閣防衛の素振りも見せない海上保安庁

それから9年。尖閣周辺での中国公船の活動は、今や堂々たるものです。海保はどんどん押され、今では一般人の「漁業行動」は認められず、日本人は、まさに易々と土俵の外に押し出されようとしています。そういえば、菅首相が就任早々、バイデン米大統領が尖閣を守ってくれると言ったと小躍りしたのは、かなり異様でした。そもそも、もし、私がアメリカ国民なら、中国に侵入されても、肝心の日本人が危機とも感じてない無人島を、なぜ、アメリカ兵が守らなければならないのかと思うでしょう。日本政府が日本人の上陸を禁止している島を、米国が守ってくれると思っている私たちの思考は、絶対におかしいのです。

２０２1年の3月28日、石垣の漁師さんたちが3隻の船で尖閣諸島に漁に出ました。ところが、そのうちの1隻に和歌山県の漁師が乗っていたため、海上保安庁の指示により、途中からその船だけ引き返させられています。問題となった人は、もちろん正真正銘のベテランの漁師で、すべての書類を事前に届け出てあったのですが、海保はそれを「確認できない」とし、20浬《カイリ》以上尖閣に近づくと法律に抵触すると警告しました。

石垣の漁師さんたちの出漁だけはまだ許されているようですが、彼らでさえ10年前のように、尖閣近辺まで行くことは許されず、また、得意の潜り漁などもできる状態ではないといいます。なお、当時は、海保が日本の漁船を守り、中国漁船を追い出していましたが、今では、尖閣の一番近くに、大きな中国の海警の船が張り付いており、その手前に日本の海保の船がいて、日本の漁船が尖閣に近づくことを阻止している。つまり、尖閣はすでに中国の領土であるかのような図なのです。

しかもこの日は、日本の漁船が引き上げるとき、中国の海警が追跡するような真似をしたといいますから、おそらく、中国の国内向けに、日本漁船を追っ払っている映像でも制作していたのかもしれません。あるいは、中国の海から日本の漁船を駆逐している既成事実を作りあげようとしているのでしょうか。そうだとすれば、これはまさに日中合作と言えます。

なお、この日に行った漁師さんたちの感想によれば、尖閣付近にはすでに緊張感さえなく、中国側が主導権を握っている雰囲気が定着していたとか。海上保安庁に尖閣防衛の素振はなく、あたかも恭順の意を示すかのように大人しい。だから、平和な雰囲気が保たれているのです。海保は国土交通省の外局で、国交省はいうまでもなく公明党の縄張りです。いったい、誰が誰のために尖閣を守っているのでしょうか。

このあと、4月1日にチャンネル桜が、この中国の実効支配による危機的状況の実態を告発するため、衆議院第2議員会館で記者会見を開きました。その模様はＹｏｕＴｕ ｂｅで視聴できますが（https://www.youtube.com/watch?v=Fe8SwegUoBs&t=21s）、ここでも衝撃的だったのは、出席していた国会議員の少なさと、そのうちの何人かのあまりにも周回遅れの発言。尖閣が奪われかけているのは、政治家の怠慢や欺瞞というより、単なる無知と無関心なのではないかと愕然としました。本当に実情を理解し、尽力しているのは、青山繁晴氏や長尾たかし氏など、ごくわずかな議員ではないかと推察します。

さらにショックなのは、主要メディアがこの状態を一切無視し続けていること。それどころか、この活動に携わっている人たちのことを、「好戦的な人たち」と書いたメディアがあったと知って驚きました。日本人が日本の領土を守るため、少しでも実効支配の跡をつけようと、できる範囲で頑張っているのが好戦的なのですか？

そもそも日本が上陸しなければ、早晩、中国が上陸するでしょう。そうなれば、中国による尖閣の実効支配は既成事実となり、もう手遅れです。

ちなみに、竹島はすでに韓国が実効支配していますし、北方領土も同じです。韓国はそれに味を占めたのか、２０２１年に入って、日本の海上保安庁の船が長崎県沖の排他的経済水域（ＥＥＺ）で測量をしているところに海洋警察を割り込ませ、ここは自分たちのＥＥＺだとして調査中止を要求したそうです。日本は完全になめられています。これも、今まで常に日本が譲り続けてきた結果なのです。

日本政府は、どんなに相手の言い分が理不尽でも、喧嘩にならないよう常に一歩引き、この問題は棚上げしようと言われれば、ではそうしましょうと言って歩み寄ってきましたが、気がついたら、相手は皆、約束など守っていません。日本の見せた誠意など何の役にも立たず、今ではあっちもこっちもすでに手遅れっぽくなっています。

しかし、同時に疑問も湧きます。日本政府の見せたのは、果たして本当に誠意だったのかと。あれは、単なる事なかれ主義か、あるいは、その時々の政治家の保身に過ぎなかったのではないでしょうか。だからこそ、相手に易々と見透かされ、手玉に取られたのではありませんか。ただ、たとえそうだとしても、これは政治家に罪をなすりつけて済む話ではありません。日本は曲がりなりにも主権在民、民主主義の国です。そして、政治家は国民が選びます。すなわち、政治家の姿は国民の意思の反映で、事なかれ主義は官民一体での合作以外の何物でもありません。

竹やりで戦えるか？

前述のように、今でさえ、尖閣や竹島を気にかけている国民は少ない。それどころか、尖閣がいったいどこにあるのか知らない人もいるし、尖閣を守らねばなどと言っただけで、右翼のように思われる空気さえ出来上がっています。これは、やはりメディアが事なかれ主義を良しとした報道しかして来なかった結果ではありませんか。尖閣を見ていると、戦後日本の危機感欠如の集大成を見るような思いになります。

尖閣はすでに国有なので、外資に買われる恐れはありません。しかし、盗まれる危険は増しています。これに対しては、力で守るしかない。尖閣を守りきれなければ、おそらく日本の南西諸島は、順々に取られてしまうでしょう。

日本政府は、「そんなことは国際社会が認めない」とか、「これは国連で認められた日本固有の領土だ」と言っていますが、国際社会も国連も、それほど当てになるものではない事は、香港を見ていればよくわかります。一昔前なら、強い米国が警察官になってくれましたが、今は米国民の間にその空気はありません。

もちろん、日本国内には、領土は毅然と防衛すべきだという意見も聞こえてきますが、でも、現実はそれほど簡単ではありません。日本は交戦権を自ら放棄しているのですから、どうすれば毅然とできるのか？　核で脅されたら尻尾を巻くしかないのが現実でしょう。

第二次世界大戦では、石油と原爆を持つ国を、竹やりで倒そうと思ったのが間違いでした。今の日本にも竹やりしかないとは言いませんが、依然としてエネルギー貧国ですし、また、このままいくらハイテクの防衛を強化しても、それは、核で脅してくる国に対する抑止力にはならないでしょう。だからこそ、政治家は事なかれ主義に徹する。もちろん情けないことですが、それを情けないと責めることはできません。これは日本人の総意であって、情けないのは日本人全員なのです。

日本に、米軍の核の傘以外に抑止力がないという状態の続く限り、日本の政治家がどこに向かっても一人前の口が聞けないのは当然です。しかし、米国は本当に助けてくれるのでしょうか。あるいは、そう信じているのは、日本人だけ？　いったい、この危うい状態のどこに日本の主権が存在するのでしょう。それを考える前に、日本に迫る他の危機も見てみたいと思います。

第四章　「移民」と「難民」の相違に無頓着

破綻したEUの難民政策

「移民・難民」については書くべきことは山ほどあります。新天地で「国民」も「労働力」も不足していたために、ありとあらゆる人を受け入れた米国や、戦後、かつての宗主国として旧植民地の国民を受け入れざるを得なかったイギリス、フランス、ベルギー、イタリアなどとは違って、ドイツは戦後の奇跡の経済成長の最中、労働力としての外国人を「意識的に」受け入れた移民大国です。そのドイツに40年近くも住んでいますから、私にとって移民・難民はごく身近な存在です。それどころか、自分自身も、日本国籍を持つ「移民」の一人です。

2015年、ドイツはダブリン協定やシェンゲン協定（共に後述）を破ることまでして、ハンガリーで足止めを食っていた難民に国境を開きました。これが引き金となって、難民の流入はたちまち歯止めが効かなくなり、自国への影響を恐れたEU諸国は次々と国境を閉め、ドイツのやり方を陰に陽に非難することになるのです。

その混乱の中、メルケル独首相は公営テレビのトークショーに出演し、「難民が何人入ってくるかということは、私たちの決められることではありません」と言いました。これにはEU中の首脳が度肝を抜かれたばかりか、流石のドイツ国民も「ドイツの国境は守られていないのか？」と不安になりました。これは、まさに主権の放棄とも取れる言葉でした。

しかし、EUにとっての最大の不幸は、メルケル首相のこの言葉によって、難民問題が人道問題となってしまったことだと言えます。難民を入れることが人道ならば、それを制限しようとする人は、反人道的だということになり、例えば、難民についての安全保障や経済の観点からの議論が封じられてしまいました。

ただ、それから6年、難民問題が人道問題であるという看板は下ろさないまでも、ドイツの難民政策の中身は大きく変遷しています。どう変遷したかを読者に知ってもらうためには、まず、なぜ、当時ハンガリーに難民が溜まってしまっていたかということから説明しなければならないでしょう。

　EUには1990年代に定められたダブリン協定というものがあります。この協定は、難民はEU圏に入ったら、最初に足を踏み入れた国で難民申請をしなければならないと定めています。しかも、申請できるのはEU内で一度だけ。また、最初に入った国から他の国へ許可なく移動することは禁止されています。つまり、難民が入ってきた国では、彼らを通過させることは許されず、間をおかずに難民申請を受け付け、その審査結果が出るまで彼らを庇護しなくてはなりません。だからこそ、中東難民やアフリカ難民の最初の上陸地であるギリシャやイタリアに、もう何年も前から膨大な数の難民が溜まってしまっていたのです。

　ただ、ダブリン協定があっても、もちろんその間隙を縫って、難民は常にEUの中枢にまで染み込んでいました。例えば2010年以降は、トルコから至近のギリシャの島にボートで渡って、そこからさらに定期船でギリシャ本土へ渡り、そこから陸路で、非EU国のマケドニア、セルビア、そしてEU国ハンガリー経由でオーストリアやドイツにたどり着こうとする中東難民が急激に増えていました。

　マケドニアやセルビアはEU国ではないので、入ってきた難民をどんどん通過させました。しかし、EU国のハンガリーはダブリン協定の縛りがありますので、セルビアから続々と入ってくる難民を、そのままオーストリアに出すわけにはいきません。そこで、元を断つべく、150キロにわたるセルビアとの国境に突貫工事で4メートルの鉄条網の壁の建設を急いでいたのです。その傍ら、ハンガリー当局は、すでに入ってきてしまった難民が潜伏したり、治安の乱れの原因になったりすることを恐れ、彼らを収容所に閉じ込めようとしました。

そのうち収容所はあふれ、しかも、ハンガリーで登録されたくない難民が逃げ回ったため、だんだん収拾がつかなくなっていた。そして、その様子を見たドイツなどが、人権無視だとして非難し始めたのです。そして、ついに2015年9月5日、メルケル首相が、ハンガリーにいる難民をドイツが受け入れると宣言するに至りました。ハンガリーは、さぞかしびっくりしたことでしょう。当然のことながら、これによってダブリン協定は即座に有名無実となってしまいました。

しかし、ハンガリーは喜んだものの、他のEU国は衝撃を受けました。EUの肝は、圏内における「人、物、お金、サービスの自由な移動」で、これはシェンゲン協定によって謳われています。1985年、当時の西ドイツ、フランス、ベネルクスの計5カ国のあいだで結ばれたこの協定は、その後、加盟国が増え続け、現在、26カ国の間で国境検査はしないことになっています。シェンゲン協定にはノルウェーやスイスなど、EUの加盟国でない国が入っているかと思えば、キプロス、ブルガリア、ルーマニアのように、EUの加盟国でありながら、シェンゲン協定には加盟していない国もあります。イギリスは、最初から入りたくないから入らず、キプロスやブルガリアやルーマニアは、そのうち規定をクリアしたら仲間入りする予定です。ただ、実際にはすでにどの国境も、今ではフリーパスに近い状態です。旅行者は、一度シェンゲンの入り口でパスポート検査を受ければ、そのあとはEU内の移動はほぼ自由というのが、これまでの状況でした。

難民は、しかし、シェンゲン協定から除外されています。彼らは自由には動き回れない。そうは言っても、ドイツが大量に入れた後は、他のシェンゲン協定加盟国は警戒を強めました。ドイツが大量の難民を逐一監視できるわけはなく、難民がシェンゲン内で拡散し始める可能性が否めなかったからです。特に、難民資格を得られなかった人たち、ドイツで職を得られなかった人たちが、母国送還を嫌って他国へ逃れる可能性は少なくなかった。そこでEU内の多くの国が、非常時の例外規定を使って直ちに国境を閉め、検査を始めました。これで、ダブリン協定のみならず、シェンゲン協定も一時停止となったわけです。

案の定、その後まもなくドイツの難民政策は、事実上、破綻しました。テロリストが混じっていたので、EU中でテロも頻発し始めた。また、難民が比較的容易に到達できるイタリアやギリシャには、ドイツ行きを狙って、さらに多くの難民が殺到するようになりました。そのうち、どのEU国も困りきり、結局、何よりも大切なのは、EUの国境の防衛だということで意見が一致しました。そこで、トルコに莫大なお金を支払って難民が海に出ないよう警備を強化してもらうこと、また、EU自体が海上の警備を強化すること、そして、難民資格のない人をなるべく早く母国に戻すことなどが、矢継ぎ早に試みられました。それ以外に、難民を防ぐ手立てはなかったのです。つまりEUが始めたのは、皮肉にも、6年前にハンガリーがしていたことと、まさに同じでした。

2020年から2021年にかけては、非EU国であるボスニア・ヘルツェゴビナが新たな難民スポットとなっていますが、EUはお金は送っているものの、難民を引き取ろうという国は、なかなか現れません。

ただ、「人道」が飛んでしまっている現実とは裏腹に、一方では、難民を引き受けることが人道だという定理も打ち立てられつつあります。つまり、実際の難民の扱いについては、まだあちこちで試行錯誤が続いてはいるものの、大筋の流れでは、グローバリズムに基づいた世界規模の移民・難民政策が、かなり強引に進められようとしているのです。

これについては、前述した拙著『移民 難民 ドイツ・ヨーロッパの現実 2011－2019』で詳述しているため、興味がおありの方はお手に取っていただけましたら幸いです。

人道を御旗に国境が消滅？

国連の関連組織に、国際移住機関（IMO）というのがあります。目下のところ、移民に関しては、同機関が一番の権威と言えますが、彼らのいう「移民」の定義は、「当人の⑴法的地位、⑵移動が自発的か非自発的か、⑶移動の理由、⑷滞在期間にかかわらず、本来の居住地を離れて国境を越えるか、一国内で移動している、または移動したあらゆる人」のことです。

私がここで問題だと思うのは、移動の理由が問われないという点です。貧困でも自然災害でも、人権侵害でも、紛争でも、また、環境破壊でも移住はできる。現在、EUの難民審査では、経済的理由は難民の資格とはならないとされますが、国連では、人間には国境を越えて他国へ行く「権利」があるとされている。つまり、難民と移民の区別がほぼ無いのです。これらをすべて字面どおりに解釈すると、誰でも、他国へ行きさえすれば、そこで暮らす権利があるということになります。他国へ行くということは、今のところ、多くの場合、国境侵犯ですが、将来は、それが合法になる可能性があるわけです。

だからこそ、2016年にIMOの下部組織GFMD（移住と開発に関するグローバリズム）が移民コンパクト採択の準備を始めた時、オーストリアは危機感を覚え、「移住の権利という人権は、オーストリアの法的基盤においては未知である」として、採択を拒否しました。アメリカ、オーストラリア、ハンガリー、ポーランド、チェコ、ブルガリア、イスラエルなども拒否。ベルギーではその後、この採択の是非をめぐって、連立政府が破綻するという事態まで起こりました。ちなみに、日本はこれを採択しています。日本が国際的な決定に反旗を翻すことは、捕鯨問題以外ではあまり聞きません。

いずれにしても、この国連主導の移民（＝難民）政策が進めば、国境の意味は次第になくなっていきます。それどころか、国家という観念自体が溶解していくでしょう。そして、今や国際秩序は、人道を御旗に、間違いなくその方向に動かされようとしています。

特に熱心なのがドイツです。ドイツでは、移民や難民を制限しようという考えは反人道とみなされます。移民や難民をこれ以上、無制限に入れてはいけないと考える人たちは、国境や国家という観念を捨てていない人と言えますが、まさにこの人々が現在のドイツでは糾弾の対象です。ドイツの政治はすでに左傾しており、なるべく「ドイツらしさ」を消すことが民主化だと考える人たちが、政治の中枢を占め始めています。

財界は、移民や難民が増えれば安い労働力が得られると期待し、政治家は、少子化や年金問題が解決できるかもしれないと思っているでしょう。しかし、国境や国家がなくなることによる最大の受益者は、たぶん、グローバルな商売を展開している人々です。今ですら彼らは、どの国に属し、どの国の法律に従っているのかがわからないところがあります。もちろん、どこで税金を納めているのか、どれだけ納めているのかもかなり不透明です。国境や国家という概念が消えれば、その傾向はさらに進んでいくわけで、それを後押ししているのが、移民の問題のような気がします。こうしてみていくと、どう考えても、難民・移民の問題は人道問題とは別のモチベーションで進められていると思えてくるのです。

移民大国化する日本

さて、では、なぜ、移民・難民が日本にとっての危機であるかという話に戻ります。日本は島国であったため、長らく外国人とは無縁で、移民問題にも難民問題にも晒《さら》されてこなかった。だから、移民と聞くと、ブラジルへ渡った日本人とか、新天地アメリカを目指したイタリア人やアイルランド人などを思い浮かべる人が多いのですが、そうではありません。移民は、すでに私たちの周りにたくさんいます。しかし、日本にいる外国人を移民と認識している人は少なく、移民と難民の区別なども、考えたことのない人がほとんどでしょう。

移民と難民の境界線は、前述の通り、EUなどでは次第に曖昧になりつつありますが、しかし、日本ではまだ、これらは別のカテゴリーで考える必要があります。

ごく簡単に言えば、移民は、合法的に他国に移住し、そこで暮らしている人々です。一方、難民というのは、何らかの理由で母国にいることができなくなり、他国に庇護を求める人。政治亡命者も難民に入ります。

難民が合法的に他国で住めるようになるためには、本来なら、難民（亡命）申請、認可という手続きが必要となります。彼らの申請が認可され、そこに長く住んだり、あるいは、永住権が付与されたりすれば、彼ら難民は移民となるのです。一方、難民資格しかない人は、原則、母国の状況が改善されれば、戻らなければなりません。

ところが、国連の定義では、1年間、他国に住めば、もう移民です。この定義はまだ、全世界で国内法と合致しているわけではありませんが、大まかな方向としては、この国連の解釈が次第に優勢になっていくと思われます。そうすれば、移民と難民の区別はほぼ無くなり、それどころか、旅行者と移民の区別さえ、次第に曖昧になってしまうかもしれません。

では、日本は？　まず、移民から見ていきます。長期的に居住している外国人が移民であるとすれば、日本にも、すでに移民はかなりたくさんいます。そして、その移民をめぐる話には問題点が多いのです。

2019年4月、日本の入国管理法が改正されました。一定の技能を持つ特定1号にあたる外国人は上限5年間、日本で就労することができます。さらに、熟練技能を持つ特定2号なら、家族の帯同も可能。つまり、特定2号の人々の多くが、将来、日本に永住する確率はかなり高いと思われます。当時の安倍首相は、「いわゆる移民政策をとることは考えていない」と言っていましたが、実際には、日本はすでに立派な移民受け入れ国だと思います。

移民が必要になる理由はさまざまですが、中でもいちばん大きいのが、「子供が生まれない」と「人手が足りない」という、いわば同根の事情です。

日本の人口減少は急激です。2018年の日本の総人口は1億2644万3000人。そのうち日本人が1億2421万8000人ですが、どちらも8年連続で減少しています。それに比べて、外国人の人口は2017年の205万8000人から、2018年の222万5000人に増えています。しかも、4年連続の増加なのです。見方によっては、外国人が日本の人口減少を少し食い止めてくれているわけです。

出生の数を見れば、将来の人口動勢はかなり正確に予測できます。単に人口が減るだけなら、経済の規模をそれに見合うように縮小するという対策も可能ですが、日本の場合、高齢者の人口が増えて、生産年齢人口が減っている。つまり、これまでの産業構造がそのままでは成り立たなくなっていきます。

厚生労働省の「国立社会保障・人口問題研究所」の推計によれば、生産年齢人口は、

2013年は8000万人弱でしたが、2018年は7484万4000人と、前年比で28万人近く減少しました。そして、2027年には7000万人を切り、2051年には5000万人も切ると見られています。一方、増えている外国人は、高齢者や子供ではなく、多くが生産年齢の人たちですので、外国人が日本の人口減少による人手不足をカバーしてくれることになります。ただ、これが進めば、外国人がしだいに労働市場での主勢力となっていく可能性は否めないでしょう。しかも、不動産と同じく、外資による企業の買収が進んでいけば、労使の関係までが入れ替わっても不思議ではありません。

この場合の外資というのがどこかといえば、今のところ、考えられるのは中国、そして米国やオーストラリアでしょうか？　いや、今や世界的な大企業は多国籍企業であるため、どこの国ということは特定できないかもしれません。いずれにしても、将来の日本人は、日本国内で、その利益がどこに落ちるのかわからない外資の企業に、外国人労働者（あるいはすでに日本の国籍を取得した元外国人）とともに雇われることになるわけです。目下のところは、外国人の導入に積極的な財界は、その目的は労働者の賃金を安く抑えることなのでしょうが、賃金の押さえ込みは、いずれ経営が外国資本の手に渡ればさらに過酷に実行されることになると思われます。その頃には、資産を外資に売却した富裕層の日本人は悠々自適の生活を送れるかもしれませんが、残された労働者はたまらない。日本国内の貧富の差は間違いなく広がるでしょう。

これだけでも、子供や孫のいる人にとってはかなり背筋の寒くなる話ですが、規制緩和を旨とする新自由主義の信奉者たちは、そうは思いません。外国人をたくさん入れることは有意義、平等、かつ人道的であるという理論が大手を振っているからです。つまり、多文化共生。そして、それにより国家という概念が少しずつ薄められていくことや、貧富の格差が広がることには、まるで無頓着です。

国際金融資本としては、国家の概念が希薄になれば、課税やらさまざまな法律などから解放され、メリットが大きい。実際に、第二章で触れた土地の買い占め問題にしても、日本政府は例外規定を全く設けなかったため、持ち主が外国人で、外国に居住し、連絡がつかない場合、固定資産税を払わなくても、あるいは、いろいろな法律を無視しても、日本側としては追跡する術がないといいます。持ち主の国籍がわかり、その国と日本が租税条約を締結していれば、理論上は追跡は可能ですが、実際には相手国の役所が協力してくれることは稀で、つまり、たいていは放置されます。そして、すでに現在そういうケースは多く、しかも増えつつある。本来なら徴収できる多額の税金が、グローバリズムの名の下に無駄に失われているわけです。

安倍前首相が新自由主義者として、国家の概念を薄める方向を目指していたかどうかは分かりませんが、少なくとも彼も、外国人受け入れを前向きに捉えていたことだけは事実です。あるいは、EU委員会や国連とともに歩むという意思表示が必要だったのかもしれません。少子化で日本という国家が消滅しないようにという配慮も働いていたのでしょうが、しかし、国益を守ると言う観点なしに安易に外国人を入れ始めると、これこそが国家消滅につながる一番の近道になってしまう可能性は厳然として存在します。

増大する不法移民

背筋の寒くなる話は他にもあります。2015年、日本政府は「船舶観光上陸許可制度」を設けたため、以来、クルーズ船で訪れる外国人はビザなしで7日間の上陸が許可されています。しかし、ビザ交付の際は写真撮影もないので、替え玉も、犯罪者も、工作員も、フリーパスに近いと言います。つまり、日本に誰が入国したか、よくわからないという恐るべきことが、もう6年間も続いているわけです。

案の定、上陸したまま戻ってこないケースもあります。しかも、前述のように、写真さえない上、届けられた身元データの真贋《しんがん》もわからないため、追跡のしようがない。これでは最初から、日本は国境の防衛を放棄していますと宣言しているようなものです。ちなみに、たまに7日が過ぎてから出頭してくるケースは、帰りの旅費を浮かせるための強制送還目当てが多いというから、日本政府もなめられたものです。

この「船舶観光上陸許可制度」は、中国、シンガポール、ベトナム、マレーシア、韓国の済州島などが採用しているため、日本もそれに加わっただけだと言いますが、日本にはこの制度を悪用して、これらの国に不法に入り込もうと考える人はあまりいないでしょう。そんな事実から目を逸らし、相互関係だけを重視するのはあまりにも無防備ではないでしょうか。この制度の採用を強く推したのが公明党だと言います。日本政府がインバウンドの獲得に熱心なのも、公明党の意思が反映されています。2020年に4000万人、2030年に6000万人の外国人観光客を誘致するつもりだと言いますが、これが果たして日本のとるべき最良の政策と言えるのでしょうか？

日本で行方不明になるのは、クルーズ船の観光客だけではありません。外国人留学生も消えれば、外国人技能実習生も消える。元々、失踪するつもりで留学生や実習生を装って入国した人も中にはいるかもしれませんが、受け入れている日本側にも問題は多いでしょう。

たとえば、多くの留学生はブローカーにお金を払って手続きしているため、日本に着いた時には借金を抱えていると言います。自ずとそのあとは、アルバイトしながらの苦学生となる。考えても見てください。日本なら、親に留学費を出してもらっている学生はいますが、ブローカーに留学を斡旋してもらい、借金を抱えて勉強に行く学生などいません。

留学生を受け入れている日本の私立大学には、2019年だけで、国から総額3165億円もの補助金が給付されているといいます。今ではこれが、私学にとってなくてはならない収入となっているそうですが、勉強したい学生たちの援助という本来の目的にどの程度使われているのかが、かなり不透明です。しかも、この財源は税金なのです。

一方の外国人技能実習生制度は、2017年、産業界の肝煎りで、安倍政権の目玉として進められました。応援したのが竹中平蔵氏ら規制緩和派。ただ、こちらの制度もその運営にスキャンダルめいた話が多く、すでに累計で1割近くの実習生が行方不明です。

本来なら、その名の通り、技能を習得するためにきたはずの彼らが、人手不足解消のため、低賃金の単純労働に投入されているとか、粗末な宿舎をあてがわれているとか、差別に苦しんでいるとか、伝わってくる話はさまざまです。私には、かつて自らもドイツという国に留学し、色々な人に助けてもらいながら、日本では学べなかったことを学べたというポジティブな経験があるので、こういう話を聞くととても悲しくなります。異国の、言葉も不自由なところで、お金もあまりなく、その上、人々が冷たければ最悪の状況です。そういう外国人が経済的に追い詰められて失踪してしまったり、いつしか心の中に不満や憎悪を蓄積させて、復讐の念に駆られたりしても不思議ではありません。中には、犯罪に走る人もいるでしょう。彼らの多くが最初から不法滞在者や犯罪者だったとは思えません。いずれにしても、結果として、今の日本はすでにかなり多くの不法移民を抱えているはずです。

日本は2012年、外国人登録法を廃止しました。それまでは外国人登録原票で管理されていた在留資格のある外国人が、今は日本人と同じく、住民基本台帳で管理されています。つまり、外国人の管理は、法務省ではなく、自治体に移管したわけです。

しかし、外国人はどこへでも移動できるのですから、自治体相互の緊密な横のつながりがなければ、外国人の管理など無理でしょう。行方不明になっても、まず見つけられない。たとえ犯罪が絡んでも、よほど重大なことでない限り警察は動きません。

外国人に悪用される日本の医療保険

以上、長々と移民の問題を書き連ねましたが、私の言いたいのは、これもやはり安全保障につながる問題であるということです。今、日本は刻々と、どこ出身の外国人が、どこに何人住んでいるかわからないという状態になりつつあるのです。多くの人間と、多くの法人が、統計から漏れています。住民税も、固定資産税も、取りはぐれているかもしれません。税務署は、徴収できないケースは課税対象からあっさりと外して無かったことにしているといいます。つまり、統計上の徴税率を高くするために、故意に分母を減らしているわけです。

しかし、膨大な土地が外国人のものになっても、膨大な税金が徴収されなくても、誰もたいして気にしていません。明るみに出ると、人々の怒りが爆発し、面倒なことになるので、管轄の役所がうまく蓋をしているということもあるでしょう。しかし、この事なかれ主義が蔓延すると、日本人の富はじわじわと減っていくのです。

日本という共同体は、働いた人が税金や社会保障費を納め、それで国民全員が助け合って暮らしてきました。中でも医療保険は世界に誇れる素晴らしい制度です。その助け合いの輪に、外国人が入るのは結構です。しかし、それが将来も平等に機能するよう、グレーゾーンがこれ以上広がることのないよう注意しないと、全てが壊れてしまいます。

明治まで、医療は贅沢で、多くの医者は貧しい人の医療など考えることもありませんでした。最初の医療保険は、加入は認可で、保険料も給付金額もまちまち。だからと言って、国民皆保険などを提言すれば、社会主義者のレッテルが貼られても文句が言えない時代でした。その後、不完全ながらも健康保険法が制定されたのは１９２２年、大正11年のことです。

その日本が、皆保険制度に踏み切ったのが１９６１年。まだそれほど豊かではなかったのに、政治家や官僚は、なんと志が高かったことでしょう。アメリカが今もって達成できない素晴らしい制度が、すでに60年前、日本で完成したのです。

その、日本人の虎の子の医療保険も、昨今、高齢化の煽りを食って、保険料がどんどん値上げされていきます。だから、その輪の中に就労外国人が加わってくれるのは、本来なら歓迎すべきことのはずです。それが、事もあろうに、医療保険には写真が添付されていないことを幸いに、使い回しされているという話を聞きます。

さらに問題なのは、その保険を、本人だけでなく、彼らの母国にいる扶養家族、つまり配偶者、父母、祖父母、子、孫、曾孫までが総出で利用できることです。日本の医療制度は、高価な新薬などにも保険が効きますし、医療費が一人8万円ぐらい（平均所得の会社員の場合）を超えると、過重分は免除という、世界でも稀に見る寛大な制度だということは、ここでいうまでもないでしょう。

外国人の医療保険のグレー利用については、第三章で言及した平野秀樹氏の『日本はすでに侵略されている』に詳しいのですが、荒川区では2018年、住民の人口比では中国人は約3％なのに、海外療養費の支払い件数に占める中国の割合は37・5％だったといいます。千葉市も同じく、人口比における中国人の割合は1％にも満たないのに、海外療養費の支払い件数は22％。扶養者の医療費を保険で支えること自体に異議を唱えるつもりはありませんが、問題は、外国でどんな医療がなされているか、あるいは、本当になされているか、確かめようもないという現実です。

しかし、自治体は、外国人を相手にして人種差別の嫌疑をかけられることを恐れているのか、それらの調査には逃げ腰です。小さな損害を大目に見ていると、そのうち収拾がつかなくなります。すでに、そうなっているというのに、日本人がそれを放置しているのなら、落ち度は、私たちの側にあると言えるでしょう。

私は、留学生にしろ、技能実習生にしろ、労働者にしろ、外国人の導入に当たっては審査を厳格にするべきだと思っています。その人が未来の日本人になるかもしれないという覚悟で審査する。その代わり、入った人は差別しない。また、不正を働けるような曖昧な規則は作らない。犯罪を犯したら、退去してもらう。お互いのメリットのためにはそれしかありません。変な遠慮は誤解を招きます。日本流は通用しないのです。

ところが、現在の日本では、外国人は在留許可のみならず、実に簡単に国籍まで取れます。もちろん、それの何が悪いと言われれば、別に何も悪くない。EUでも、父親の国籍と母親の国籍の両方を持っている政治家が、2通のパスポートを「ヨーロッパは一つ」の象徴として誇らしげに掲げるのが新しい風潮です。ただ、日本はともにその方向に進むのか、それとも、ちょっと待てと止まるのか、よく考えた上で、決定するべきです。

現在、EUで頻発するイスラムテロでは、犯人を捕まえてみると、すでにドイツ国籍やフランス国籍を持っている元アラブ人であることが少なくありません。つまり、自国民ですから、犯罪者といえども「母国送還」もできない。国籍を与えるということは、その人間がどんな人間であろうと、丸ごと引き受けるということです。だからこそ、その付与には、ことさら厳格な規則と丁寧な審査を設けるべきなのに、今の日本はいとも簡単に、EUの風潮に足並みを揃えているように感じます。私たちは、外国人を日本国民として、丸ごと引き受ける覚悟がはたしてあるのでしょうか？

今、日本では、誰が税金を払い、それが何に使われるのか、あるいは、誰にそれを使う権利があるのか、私たちはいったい誰の未来のために働くのかということが、どんどん曖昧になっているように思えてなりません。このままでは、最後には日本は誰の国かということさえ、わからなくなってしまうのではないでしょうか。

移民を考えるとき、人権という言葉に惑わされると移民は止めどなく増え、それを悪意を持った人たちにうまく利用され、「日本を倒すのに武力は要らない」、「この国は住めば乗っ取れる」ということになる可能性があります。

思えば私たちは、誰に言われなくても、概《おおむ》ね人権を守ってきた国民です。日本ほど、人権差別のない国はないと、ヨーロッパに住んでいるとつくづく感じます。日本では、人権はあたかも自然法のようなもので、そんな言葉のなかった大昔からずっとその精神は貫かれていたということを、私たちはもう一度思い出すべきではないでしょうか。

身元確認のできない「危険な難民」

日本は、難民申請の数が極端に少ないようです。ＥＵのように徒歩では入国できず、わずかな船舶を除けば、皆、基本的に飛行機に乗らなければならないのですから、少ないのは当然でしょう。２０１９年の難民認定申請者数は１０３７５人で、難民と認定された人はわずか43人でした。主な国籍は、スリランカ、トルコ、カンボジア、ネパール、パキスタン。さらに、日本海は荒いし、太平洋は広すぎるので、難民が海から殺到することもあり得ないと、日本人は安心し切っています。

しかし、それは大きな間違いであることを、私は拙著『移民 難民 ドイツ・ヨーロッパの現実 ２０１１－２０１９』のまえがきで、次のように書いています。

ＥＵでは、すでに２０１１年ごろ、アフリカからの難民問題が深刻になっていた。だから私はかなり前からよく、講演会などで難民問題を取り上げていたのだが、「朝鮮半島で有事があれば、日本にも難民が押し寄せますよ」と話しても、聴衆は誰も、ピンときていなかった。

「有事って何？」と思っている人もいれば、「日本海は波が荒いからボロ船では越えられない」と言う人もいた。それに、たとえ難民申請がなされても、違法難民のそれは却下すれば問題はないというのが、ほとんどの人のとりあえずの反応だったといえる。日本が海で守られているという感覚は、今も日本人の心を支配している。

しかし、EUに押し寄せている難民たちも、実は、自力で地中海を渡ってくるわけではない。オレンジ色の救命ベストを着て小さな木造船にすし詰めになったり、それどころか、ゴムボートの縁にずらりと馬乗りになったりしている難民の写真を見れば、彼ら自身も、まさかこれで地中海を越えられると思っていないことは明らかだ。これは、沖に出れば速やかに救助されて、EUに運んでもらえることが前提となっているのだ。

もう少し詳しく言うなら、彼らは密航斡旋業者に大金を支払い、木の葉のような船に乗り込まされる。怖くないはずはないが、他の選択肢は閉ざされており、犯罪者の甘言を信じる他はない。もちろん、救助されなければ、海の藻屑となる可能性は高い。

救助は、以前は偶然通りかかった商船や漁船、EUの国境警備隊などが行ったが、今では、民間船は難民を助けて連れてくると密航幇助に問われるようになったため、救助できない。そこで、その代わりに大活躍しているのがNGOの船だ。

大型で立派な船も多いところを見ると、このNGOの「遭難救助」活動の裏には、それをちゃんと経済的に援助している財団があるようだ。「救助」に際して、NGOと犯罪組織が連携している可能性も疑われている。いずれにせよ、NGOの船はあたかもシャトル便のように、救助した難民をせっせとイタリアやマルタに運んでくる。

つまり、これと同じことは日本海でも容易に起こりうる。自分の国に愛想を尽かした人々がボロ船を調達して沖に漕ぎ出せば、どこかのNGOが彼らを救って日本に運んでくるようになるまでに、さして時間はかからないはずだ。日本海はあっという間に難民船がたくさん浮かぶようになるだろう。

日本海で漂流している人たちを日本政府が放っておけるわけはなく、まずは助けて、上陸させることになる。海には塀は作れないから、その数は雪だるま式に増えて行くだろう。私は、おそらく自衛隊が船を出し、かなり遠海で漂流している難民も助けにいくようになると思っている。

ただ、問題はそのあとだ。難民がパスポートを持っていることは稀なので、身元の確認もできないし、本当に難民であるかどうか、確かめるすべもない。身元の確認のできない人間を受け入れるというのは、リスクが高い。それは、中東難民に国境を開いたドイツが証明している。

当時のドイツでは、到着する難民があまりにも多く、難民資格のある人とない人を区別できないまま、自己申告の通りにどんどん入国させた。その際、シリア人、アフガニスタン人は、政治亡命が認められやすかったため、他の国から来た経済難民までがシリア人やアフガニスタン人に化けた。それどころか、テロリストも入国できたので、そのあとEUのあちこちで無差別テロが起こった。ある国の治安を乱し、弱体させたければ、早い話、難民を大量に送り込めば良い。

将来、もし、日本に難民が流れ着き、政治亡命を申請するようになれば、その中に多くのニセ難民が混じることは容易に想像できる。中国人や韓国人は真っ先に便乗するかもしれない。反日の不穏分子も来るかもしれない。それでも日本政府は全員を受け入れ、衣食住、医療、教育など、すべてを引き受けることになる。

また、母国送還は口で言うほど簡単ではない。まず、母国が特定できなければならないし、しかも、その母国が入国を認めなければ成立しない。なお、これまでの私は、有事は朝鮮半島で起こると確信していたのだが、今となると香港も危ない。今後の中国共産党の出方次第で、香港難民が発生する可能性はかなり高いような気がする。EUの場合、難民問題には、一応28カ国が協力して立ち向かっているが、日本がそのような難事に見舞われた時、助けてくれる国はあるのだろうか。

反日的なニセ難民を保護するジレンマ

私が難民問題で読者に伝えたいことは、ほぼ、これですべてです。日本の治安を乱し、弱体化させようと思えば、難民を日本海に連れ出せばいい。地中海でそれをしているNGOの背後に誰がいるのかを考えると、このシナリオはそれほど突拍子もない話ではありません。おそらく、最悪の事態は日本政府も想定しているでしょうし、それに対してまるで無策ではないと思います。

なお、拙著（前著）のまえがきを書いた2019年秋の時点では、「有事は朝鮮半島で起こると確信していたのだが、今となると香港も危ない」と書きましたが、今や、韓国経済が悪化しており、北朝鮮との関係も不安定なので、韓国人までが亡命を考え出すかもしれません。さらに、台湾に中国共産党の手が迫ってくれば、台湾人にとっても、一番、手っ取り早い目的地は日本となります。普通の韓国人や台湾人は、一か八かで危険な船に乗らなくても、飛行機でやってきて空港で亡命申請をするという手があります。国家に独裁の手が迫っていれば、それは立派な政治亡命の理由ですから、国際法を重視すれば、日本は彼らを無闇に追い返す事はできません。

日本にとって一番の大事は、しかし、中国本土からの難民でしょう。誰かの意図で、ウイグルや内モンゴル、あるいはチベットで抑圧されている人たちを日本に亡命させる手筈が整えられれば、すごい数の人たちが来ます。しかも、彼らは本当に迫害されているのだから、受け入れは日本の義務でもあります。母国送還は死を意味するので、それは絶対にできません。日本国民の受け入れに対する理解もおそらく得られると思います。

ただ、問題は、それに便乗する人が必ず出てくることです。中国には（おそらく韓国にも）、新天地を求めて、明日にでも国を脱出したいと思っている人たちがたくさんいます。日本人のように、なるべくなら日本を離れたくないと思っている民族とは、頭の構造が違うのです。中国には14億の民がいますから、そのうちの0・1％の人が日本に向かってきただけでも、すでに140万人となります。

さらに危険なのは、本来とは、まるで違う目的を持った人たちが難民として送り込まれてくる可能性です。EUでは、ドイツが難民に門戸を開いたとき、イスラムのテロリストが難民を装って入ってきました。日本にも、日本の混乱や、日本乗っ取りを企む人たちが紛れ込んでくる事は、大いに考えられます。

70年代、内戦下のレバノンから亡命者がどんどんドイツに入った時期がありましたが、実は当時、東ドイツがレバノン人亡命者をどんどん飛行機で受け入れ、それをそのままバスや電車で西ベルリンに送り込んだと言われます。西ベルリンを疲弊、あるいは混乱させるための作戦だったそうです。すでに歴史となってしまった「冷戦」の真っ只中の出来事ですが、その時入ったレバノン人の一部が、犯罪のネットワークを築きあげることに成功しました。つまり、難民というのは、使いようによっては一国を疲弊させる要素となりうるのです。

日本はすでに、本章の冒頭で触れたGFMDの移民コンパクトを採択しています。もう一度、繰り返せば、「当人の(1)法的地位、(2)移動が自発的か非自発的か、(3)移動の理由、(4)滞在期間にかかわらず、本来の居住地を離れて国境を越えるか、一国内で移動している、または移動したあらゆる人」が移民であると定義しているコンパクトです。つまり、心に日本の侵略を秘めている人たちでさえ、日本は庇護する義務があります。日本侵略などあり得ないと思っているのは、おそらく日本人だけでしょう。

第五章　誰も予想できなかった電力の逼迫・ブラックアウト

LNG不足で電力危機発生

電気は、常に需要量に合わせて発電しなければならない。これは、多くの人が知っているようで知らない事実です。しかも、需要と供給の量ができる限り一致するように発電しなければ、電圧や周波数が変動してさまざまな不都合が起きます。電圧が下がると、精密な機械はてきめんに動作が狂いますし、停電は、電気が足りなくなった時だけ起こるものではなく、発電量が多くなりすぎても起こります。だから、電力会社は常に天気や温度や社会現象を見つつ、刻一刻と変化する需要に合わせながら、変圧器を調整したり、送電の潤滑油的役割を果たす無効電力というのを増減させたりと、四六時中、一定の余剰を保ちつつ、発電量を調節しているわけです。発展途上国でしょっちゅう停電が起こるのは、発電施設が不足しており、需要が急に増減するとうまく対応できなくなることが原因です。つまり、停電が起こらないのは先進国の証拠と言えるでしょう。

ところが、２０２１年１月、電事連（電気事業連合会）が予想した電力使用率を見ると、余剰が３％を切るエリアがありました。もし、どこかの発電所が何らかの理由で脱落したら、大停電もあり得るという非常に危険な状態だったわけです。

なぜ、こんなことになったか？　原因は、寒波で電力の使用量が増えただけではありません。この時には、さまざまな原因が複合的に重なって、日本の電力供給の弱点が奇しくも露呈したといえます。

日本では、10年前の東日本大震災による福島の事故により原発の多くがすべて停止となり、それを補うために、現在、石炭とガス火力に大きな負担が掛かっています。需要の多い時間帯には古い石炭火力発電所まで総動員で使っていますから、当然、トラブルも多い。絶対に停電を起こさないため、必死でメンテナンスをしながらどうにか繋いでいるというのが現状です。だから、年末年始の厳しい寒波の下、発電量を需要に追いつかせるのに必死だったというのは事実でしょう。

ただ、この時、間の悪いことに、発電用燃料の在庫切れが重なりました。燃料がなければ、発電所は役に立ちません。

現在、日本の発電の電源は多い順に、ＬＮＧ（液化天然ガス）35％、石炭32％、再エネ（再生可能エネルギー）20％となっています。ＬＮＧが多いのは、CO_2の排出が石炭よりも少ないから。つまり、気候温暖化対策のせいです。ただ、石炭の備蓄は約30日分ありますが、ＬＮＧは2週間分ぐらいしかないので、船が着かなければまずＬＮＧが足りなくなります。そして、このとき実際にＬＮＧ船が遅れたのです。オーストラリアやマレーシアのＬＮＧは、出荷ターミナルでトラブルがあって遅れました。

一方、北米のシェールガスはパナマ運河の渋滞のせいで滞りました。その上、荒天のため、輸送船が接岸できない日が続いたと言います。つまり、到着していた石炭までが、思うように荷上げできなかった。

その上、オーストラリアとの紛争のせいで石炭不足になった中国がＬＮＧを爆買いしており、韓国も、やはり寒気のため普段よりＬＮＧを買い増した。つまり、燃料市場ではＬＮＧの奪い合いとなっており、文字通り、日本のＬＮＧが底をつきかけたのです。

それに加えて、さらに電気の安定供給を複雑にしていたのが、近年、急増していた太陽光発電でした。普段なら、かなりの発電力を占めていた太陽光発電が、この時、長期間にわたってほぼゼロになったのです。

日本では２００９年にＦＩＴという制度が作られました。ただ、当初は余剰買い取りが主でしたが、震災以後、民主党がそれを全量買い取りに変えていきました。これは、再エネは発電すればしただけ、電力会社が10年間、もしくは20年間、定額で買い取ってくれるという、発電者にとっては夢のような制度でしたから、あちこちで太陽光発電フィーバーが巻き起こりました。銀行に預けておいても低利息で肥やしにもならない庶民のお金はもちろん、国内外の投資家の資金までが太陽光発電事業に注ぎ込まれることによって、屋根の上の太陽光パネルや、大規模なソーラーパークが次々と出現したのです。

特に日照時間の長い四国、九州地方では、お天気の良い日には、昨今では、全電力の６割近くを太陽光発電が占めるほどの隆盛でした。それが、昨年（２０２０年）の12月末からは、悪天候のために激減し、しかも、電気の需要はそれに反比例して激増したのです。大きくバランスを崩した需要と供給の関係を瞬時に修正するのはそうでなくても難しいのに、この時は、燃料まで不足していたのですからたまりません。ブラックアウトの危険が増しました。

経済ジャーナリストの坂本竜一郎氏は２０２１年１月24日付のプレジデント・オンラ

インで、それらをめぐって年初に繰り広げられた経産省・資源エネルギー庁と、電力の業界団体である電事連との壮烈なやりとりを、次のように書いています。

電力は需要と供給が一致しないと停電してしまう。需要に供給が追いつかない事態が続く中、電事連は「電力消費を極力抑えてもらうよう、広く国民や企業に訴えてもらいたい。場合によっては節電要請を求めたい」と所管の経済産業省や資源エネルギー庁に訴えた。

しかし、新型コロナウイルス感染拡大で各家庭は巣ごもりしている。「暖房を切るなどの節電は、高齢者らが亡くなるリスクを高める」として、どちらも節電要請にはクビを縦に振らない。

実は、坂本氏によれば、経産省やエネ庁が節電要請に踏み切れなかったもう一つの理由は、首相官邸だったといいます。

新型コロナウイルス感染拡大で支持率が急落している中で「節電要請」となると、看板政策の脱・炭素政策も腰砕けになる。

これが事実なら、要するに政府は、火力発電の燃料不足など、国民には思い起こさせたくなかったというわけです。

結果を言えば、この時は1月半ばになって寒波が緩んだため、幸い大事には至りませんでした。ただ、後遺症はありました。自由市場の原則通り、LNGが品薄だった時期、スポット価格が跳ね上がり、夏場の10倍を軽く超えました。それが何をもたらしたかは後述します。

ブラックアウトが起きる心配をしないでいいのか？

しかしながら、私が何よりも問題だと思ったのは、日本がいかに危ない橋を渡っていたかということが、国民に知らされなかったことです。広範囲でブラックアウトが起これば、経済に及ぼす悪影響は破滅的です。それも寒い時期だったのだから、人命に関わることだったと言っても過言ではありません。

なのに実際には、そんな危機感が頭をもたげないような配慮がなされ、結局、ギリギリの妥協が、前述の電事連の「節電へのご協力のお願い」だったというわけです。つまり、これは、「暖房なども切り詰めてください！」という節電要請ではなく、「要らない電気は消しましょう」程度のお願いに留められ、広く一般の国民の知るところとはなりませんでした。政府が考える国民の安寧というのは、あたかも、国民に心配をさせないことであるかのようです。これは、国防に対する態度と、まるで瓜二つではないですか。そうするうちに、実際に、国民は節電をしないまま、そして、自分たちの置かれた状態を知ることもないまま、事なきを得ました。国民に正しい情報を与えないことが正しいやり方だとは、私には決して思えません。

もちろん、電力会社は今回の反省を踏まえ、さらに慎重な燃料の調達を模索しているはずです。今後、再び悪天候が訪れ、再エネが激減した場合に備え、発電容量の強化もなされるでしょう。一方で、LNG偏重の見直しが行われ、石炭の備蓄が増やされるかもしれません。

しかし、問題は本当にそこにあるのでしょうか。再エネ電気の供給の激しい増減に対応できるような頑強なシステムを構築するということは、普段は必要ない発電施設をさらに増やすことに他なりません。また、LNGへの偏重を防ぐというのは、石炭火力を見直し、石炭の備蓄をさらに増やすことです。それらの対策はエネルギー安全保障に鑑みた場合、真に国益に叶うことなのでしょうか？

日本が調達する燃料は、石炭にせよ、石油にせよ、LNGにせよ、いずれも輸送距離が長く、その経路の状況は必ずしも安全とは言えません。最近では南シナ海やホルムズ海峡、アラビア海などが、中国の横暴や、中東の政情の乱れのため治安不穏になっており、タンカーの走行はいつ妨害されてもおかしくない状態です。

こんな状況だというのに、肝心の国民は何の心配もしていません。輸入が止まらないまでも、価格が高騰しただけで、日本経済は混乱に陥るというのに、エネルギーの安全保障問題を取り上げる大手メディアもない。そもそも、日本人の思考というのは昔から、「まさかそんな酷いことにはならないだろう」と、「心配したってしようがない」の二つに集約されてきて、いまだにそれが続いているように感じます。

では、せめて日本政府だけは真剣にエネルギー安全保障を考えているかというと、それも疑問で、まさにその反対のようにも思えます。中でも不安材料の最たるものが、「カーボンニュートラル」と、それに伴う様々な「迷」政策です。

「カーボンニュートラル」が日本を滅ぼす

２０１９年12月、新しい顔ぶれとなったＥＵの欧州委員会で、新委員長のフォン・デア・ライエン氏がイの一番で打ち出したのが欧州グリーンディール計画でした。彼女はこの中で、２０５０年にＥＵの温室効果ガス排出をプラスマイナス・ゼロにするというカーボンニュートラルを打ち上げたほか、2030年に向けたEU気候目標の引き上げ（1990年比40％だった削減値を50-55％へ）や、排出権取引の拡大、炭素国境税の導入などといった行動計画も取りまとめました。

元はと言えば、2008年のリーマンショック後に、環境分野への大型投資で環境保護と景気の両方を向上させようと、オバマ米大統領が打ち出したのが「グリーン・ニューディール」。それが今やカーボンニュートラルに集約された形で、EUの神聖なる目標となりつつあります。推し進めているのが、前述のように欧州委員会。その中心にいるフォン・デア・ライエン氏はドイツ人です。

そのフォン・デア・ライエン氏に遅れること10カ月、菅新首相が2020年10月の所信表明演説で、やはり2050年までにカーボンニュートラルの実現を目指すと宣言しました。おそらくEUに負けじと歩調を合わせたのでしょうが、いささか勇み足が過ぎます。経済を無視したポピュリズムの一種だと感じるのは、私だけでしょうか。

カーボンニュートラルというのは、一見、環境政策のようですが、実は、エネルギー、産業、運輸、生物多様性、農業など、広範に影響を及ぼす包括的な新経済成長戦略です。穿《うが》った見方をすれば、公的資金を思う存分、特定の産業支援に回すための手段とも言えます。具体的には、ＥＵでいうなら、２０２１年から２０３０年の今後10年間で、官民合わせて最低1兆ユーロの持続可能な投資を導くということが謳われています。

ただ、この「持続可能」というのがかなり曲者です。最近、よく聞くＳＤＧｓ＝Sustainable Development Goalsは、２０１５年に国連で定められ、すでに国際社会共通の目標となっていますが、これが、つまり「持続可能な開発目標」です。ＳＤＧｓは、1の「貧困を無くそう」から、17の「パートナーシップで目標を達成しよう」まで、合計17項目が定められ、国連加盟国が、これらを２０１６年から２０３０年までに達成しようというものです。

ＥＵの欧州グリーンディールもこれに重なり、投資を受けるためには「持続可能」という目的に資するプロジェクトであることが条件となっています。1兆ユーロの投資には、今回コロナ被害の大きかった国への７５００億ユーロの支援も含まれていますが（そのうち５０００億ユーロは返済義務のない交付金）、これも、ただ「こんなにひどい被害を受けました」では援助はもらえず、持続可能な目標のもの、つまり、カーボンニュートラルやデジタル化など、ＥＵが進めようとしている政策に繋がる投資にのみ、与えられることになっています。

要するに、今やEUでは、産業も、交通も、建設も、教育も、ほぼすべての活動がCO_2削減、もしくは温暖化防止対策に紐づけられており、金融機関も、CO_2を多く排出する産業にはお金を貸さない方針に切り替わりつつあります。つまり、EUでは誰もが、「うちはこれだけのグリーン・イノベーションをやっています」ということを示さなければ、お金が回ってこない。言い換えれば、それさえ示せばお金は回ってきます。多くの企業では、この助成金を予算化しようという魂胆まで見え隠れしています。

お金はすでに流れ始めていますが、しかし、2050年のカーボンニュートラルを本当に達成できると信じている政治家は、果たしているのかどうか。これは、早い話、対象をうまくセレクトした財政出動のように思えます。つまり、カーボンニュートラルという壮大なお題目を唱えることによって、世界のお金の流れを加速度的にある方向に変えようという試みです。そして、これを進めれば誰が得をするかということもすでに明確で、それは間違っても日本ではありません。

それなのに、日本は「長いものに巻かれろ」的に、このような方向に舵《かじ》を切ってしまった。

このままでは、日本のためにならないことに、どんどんお金を使うことになります。

つまり、国富をドブに捨てるばかりか、文字通り、日本の国力を弱めます。なのに、日本の政治家は、まさにその悪い方向にすごい勢いで突進し始めているのです。

２０２０年12月には、菅政権のカーボンニュートラル宣言に基づいて、経産省が「２０５０年カーボンニュートラルに伴うグリーン成長戦略」を打ち出しました。これまでEUの方針とは一線を画していた経産省ですが、方針転換のようです。この成長戦略には、自動車や蓄電池、土木インフラ、その他、様々なライフスタイルの転換など、14の重要分野における意欲的な目標が掲げられていますが、原発もろくに動いていない今、どうすればカーボンニュートラルが可能になるのか？　なのに、無責任なメディアは何の疑問も呈さず、それに喝采している状態なのです。

同月25日には、官房長官、環境省、総務省、地方創生、農林水産省、経産省、国交省の各大臣、および何人かの自治体の長らが集い、第1回「国・地方脱炭素実現会議」が開かれました。その会議の議事録を読んで、私は少なからず驚愕しました。

まず、冒頭の小泉環境相の発言内容。それによると、彼は3つのファクトを挙げています。ファクト1は、世界で１２３の国が、２０５０年までのカーボンニュートラルにコミットしていること。ファクト2は、日本の多くの自治体がゼロカーボンを目指しているにもかかわらず、肝心のエネルギーを海外から調達しているため、その9割はエネルギー収支が赤字であること。そこまでは確かにファクトでしょう。

しかし、そのあとこう続きます。「我が国には、豊富な再エネポテンシャルがある。左下の地図にある通り、地方ほど再エネポテンシャルは豊富。この強みを活かして再エネの地産地消を強化すれば、収支の黒字化とゼロカーボンの同時実現が可能。これがファクトの3つ目」となっています。この文章のいったいどこがファクトなのでしょうか？

小泉氏が豊富な再エネポテンシャルの根拠とする資料スライドでは、日本地図が、①地域内の再エネ供給力がエネルギー需要を上回り、地域外に再エネを販売できる地域、②域内の再エネで地域内のエネルギー需要をほぼ自給できる地域、③域内の需要が再エネ供給力を上回り、再エネを他地域から購入する必要がある地域に色分けされています。これはもちろん環境省が作成したものですが、図の下に小さな字で、「再エネポテンシャルからエネルギー消費量を差し引いたもの。実際に導入するには、技術や採算性などの課題があり、導入可能量とは異なる」と但し書きが入っています。要するに机上の空論。それにもかかわらずこのスライドのタイトルは、「2050年ゼロカーボンを目指す自治体は1年で4倍　日本の再エネポテンシャルは豊富」ととても勇ましいものです。

小泉氏は、初動とスタートダッシュが重要と主張しています。つまり、今後5年の集中期間で、イノベーションの成果を待たずに既存技術でできる有効な重点対策に、まず取り組む。そして、そのモデルケースから脱炭素の輪を全国に広げていく。名付けて「脱炭素ドミノ」だそうです。

これを読んだ時の私の気持ちを一言で表すなら、「こんな人に日本を任せていたら大変なことになる」という戦慄でした。再エネの実際の実力は無視して、「豊富なポテンシャル」をファクトと言い放つとは、無責任も甚だしい。「脱炭素ドミノ」という言葉に至っては、さまざまなキャッチフレーズもどきで国民の目を眩ましてきた小泉純一郎元首相を彷彿とさせます。

そして、結びは、「ロードマップの内容は、直ちにできることは直ちに実践していくとともに、国と地方の関係政策に反映しつつ、国と地方で一丸となって速やかに実践に移していきたい」。具体策の提案は抜け落ちたまま、結局、ファクトは無し、着地点も明らかでなく、あまりにも空虚な言葉の羅列……。カーボンがゼロではなく、実質内容がゼロです。

2050年にゼロカーボンにすると宣言した自治体が1年で4倍も増えた理由は、宣言すれば補助金がもらえるからです。EUの「欧州グリーンディール」でも似たような構造であることは、すでに述べました。

再エネは主力電源にはなれない

現在、EUのカーボンニュートラルの周辺には、違った意見に対する寛容さは一切ありません。「国民経済を危機に陥れるほど極端なCO_2削減をすべきではない」とか、「無理やり進めれば莫大な経済的犠牲を招く可能性が高い」などと言おうものなら、たちまち「環境破壊者」の烙印を押され、葬られるだけです。ちなみに、その代表格がトランプ大統領でした。

だから皆、口を噤《つぐ》む。その結果、科学的な議論もなされなければ、そのメリットとデメリットについてはの検証もされない。そして、置いてきぼりにならないよう、皆がカーボンニュートラルの波に乗るのです。

もちろん、日本もそうです。首相官邸は、「革新的なイノベーションの推進」とか、「新たな地域の創造」とか、聞こえの良いことを並べたて、また、各企業は「ESG投資」を新しい経営戦略に据えつつあります。ESGとは、Environment（環境）、Social（社会）、Governance（企業統治）の頭文字をとった言葉で、利益の追求だけではなく、社会的責任を自覚した企業が目指すべき概念ということらしい。

ＥＳＧでもっとも重要なポイントが、いうまでもなく環境への配慮です。要するに、真っ当な企業なら、まずはCO_2削減のために弛《たゆ》まぬ努力をしなくてはならないということです。

CO_2がどこから出ているかというと、世界の総排出の34％（２０１８年）を発電部門が占めています。これは、鉄鋼業の3倍以上、自動車の排気ガスの4倍以上だそうです。そして、発電の電源はというと、２０１８年現在、ほぼ8割が化石燃料。「カーボンニュートラル」に近づこうとするなら、この化石燃料を、極力、再エネに変えなければならないというのが、ＥＵと日本の方針です。

日本のエネルギー政策は２００３年以来、政府の策定する「エネルギー基本計画」によって、その基本方針が定められてきました。これはほぼ3年ごとに見直されることになっていますが、現行のものは18年に定められた第5次エネルギー基本政策です。この中には、化石燃料を抑えるため、「再エネの主力電源化」という文言が含まれています。

しかし、再エネは、いったいどう逆立ちすれば主力電源になれるのか？　冷静に考えれば、現在の状況では、給電指令に応じられない再エネが主力電源になれないことは中学生でもわかるでしょう。なのに、どの政治家もそれを言わず、あたかも可能だというような顔をしているのはおかしくないですか。

第六章　黙殺された豊田章男社長の正論

ＥＶ化で得する中国の策略

カーボンニュートラルの一環として、現在、世界の自動車産業に課されているのがＥＶ（電気自動車）の汎用化です。しかもこれが、かなり強権的なやり方で実行に移されようとしています。

フランスは２０４０年からガソリン・ディーゼル車の新車販売を禁止するというし、ノルウェーは２０５０年、ドイツ、デンマーク、オランダ、スウェーデンなどは２０３０年、イギリスは２０３５年までに禁止です。そして、日本も負けずに２０３０年にガソリン車の新車販売は停止するという目標を掲げています。

ガソリン車には、メーカーが百年掛けて作り上げてきた高度な技術が凝縮しています。

1台の車には、2万から3万の部品が使われ、その一つ一つに、ほとんどミクロと思える規模の改良が、果てしなく加えられてきました。日本人やドイツ人、そしておそらくアメリカ人にとって、1台の完成車というのは、技術者たちの知恵と努力と試行錯誤がぎっしりと詰まった100年の改良の標本なのです。中でも、出力が大きく、静かで、振動のないエンジンは高級車の絶対条件で、ドイツや日本の技術者の熱い思いは常にそこに結集していたと言っても過言ではありません。

ところが、EVなら、そんなこれまでの百年の計が一切不要となります。EVの部品の数は約1万で済むというし、そもそもEVには古今の技術者が情熱を傾けて作ってきたエンジンがありません。電動モーターは、無音で、振動がなく、排ガスも出さず、恐ろしく加速も良い。つまり、技術者たちが、あらゆるテクノロジーを投入して求めてきたものが、EVには最初から単なる特性として備わっています。

だから、ガソリン車やディーゼル車をEVに転換していくと、人も部品もノウハウも、そして、これまで高度な技術を駆使して部品の改良に励んできた優秀な関連産業も、ほとんど必要がなくなってしまう。そうなれば、日本の産業は間違いなく、地滑り的に一気に解体されていくでしょう。

一方、その反対で、ＥＶ化によって甚大な利益を上げられるのが中国です。エンジン車では先を行くメーカーになかなか追いつけない彼らですが、ＥＶなら世界を制覇することさえ夢ではありません。実際に、すでにそうなりつつあります。

ＥＶの心臓部とも言えるバッテリーは、もちろん、彼らが当初から目をつけ、育《はぐく》んできた部門で、今や世界最大のバッテリーメーカーとなった中国のＣＡＴＬは、トヨタと提携するほどの実力派です。ドイツでも、もうすぐＣＡＴＬの大工場が完成し、ここから全ヨーロッパにバッテリーを供給する計画です。こうなれば、中国製のバッテリーが世界の市場を独占する日が来るのも夢ではなく、世界でＥＶ化が進めば進むほど、中国に利益が落ちるという構造が出来上がります。

だからこそ中国は２０１７年に、２０１９年より中国国内で生産される自動車の一定割合をＥＶにすることを義務付けると発表しました。守れなかったメーカーには罰則まであります。

中国には、すでに世界の自動車メーカーの有名どころが進出し、日夜、現地生産に励んでいます。彼らにとって、エンドレスとも思える巨大な市場を持つ中国政府の言葉は絶対命令に等しい。つまり、どのメーカーも、中国市場を失いたくなければ、否が応でもEVにシフトせざるを得なくなったわけです。

こうなると、日本の自動車メーカーも苦しいが、もっと困るのは、おそらくドイツのメーカーです。ドイツはすごい勢いで中国に車を輸出していましたし、中国での現地生産も進んでいます。しかし、元々、CO_2削減はディーゼル車でやるつもりだったため、EV部門ではだいぶ出遅れている。だから、現在、大慌てでEVの開発と生産強化に舵を切っていますが、問題は、ドイツ国内ではEVの普及する気配がまるでないことです。EVへの投資は、社の命運をかけなければならないほど巨大なものになるでしょうから、中国向けにはEV、国内向けにはこれまで通り質の良いガソリン車などという二本立ては、はっきり言って無理です。生き残るためには、ドイツ市場、ヨーロッパ市場もEVに絞らなければならないでしょう。

そこで出てきたのが、過激なEVシフトです。現在、ドイツ政府は、EVの購入に、膨大な資金援助を付けています。それは、地球の救済という、EUの大目標ともリンクしています。ただ、こうなると、EUの神聖な目標となったCO_2削減にも、その背景に何が隠されているかがよくわからなくなります。

いずれにしても、CO_2を今すぐに削減しなければ、我々の地球は取り返しのつかかないことになるというストーリーは、すごい勢いで拡散され、世界中の環境保護者たちをいたく感動させました。そして、一番喜んでいるのは、他でもない中国のはずです。中国はすでにEVの世界一の生産国です。ドイツが急いでEVにシフトしても、将来も中国市場で儲け続けることができるかどうかは、かなり不確実です。

では、日本は？　日本の自動車メーカーの中国依存はドイツほどではありません。輸出先の1位はアメリカで、2位がオーストラリア。中国は3位で全体の5％未満。もちろん、日本の自動車メーカーも中国に進出していますが、少なくとも中国依存はドイツよりは少ない。それに、日本には国内市場もあります。

それなのに現在、日本政府は脇目も振らずに、EUの掲げるCO_2削減に向かって邁進しています。当然、自動車メーカーの困惑は大きい。これに没頭しすぎると、これまで日本経済を支えてきた自動車産業と、広大なその裾野産業が総崩れになってしまいます！

堪忍袋の緒が切れたトヨタ社長

2020年12月17日、トヨタ自動車の豊田章男社長の堪忍袋の緒が、ついにぶち切れました。ようやく、皆が変だと思っていることを発言する人が現れたのです。

日本自動車工業会主催の記者との懇談会で、会長の豊田氏がスピーチをした模様を、テレ東ＮＥＷＳがアップすると、このビデオはあっという間に拡散されました。私の感想を述べれば、これを見た途端、これまで持っていた豊田氏のイメージ、何となくアメリカナイズされた軽いイメージは木っ端微塵に吹き飛びました。その真剣な姿には、憂国の士といった悲壮感さえ漂っていました。ご存知ない方には、ぜひ見ていただきたいと思います。

https://www.youtube.com/watch?v=6zoznlVU0VU

豊田氏の発言内容を、私なりにまとめますと、①「２０５０年カーボンニュートラル」が日本にとって何を意味するかということを政治家はわかって言っているのか？　②メディアは正しい世論が形成されるよう、正しく報道せよ。③間違った政策は日本経済を破壊する、の３つです。断っておきますが、豊田氏がこの通りの言葉で発言したわけではありません。

私の見た限り、氏は腹を括《くく》っており、記者たちに対して、「明日の朝刊で、私のことをどんなに悪く書いてくださっても構わない」とまで言っていましたが、なんと、テレ東以外の多くのメディアはこれを無視するか、あるいは、吹けば飛ぶような記事に仕立てただけでした。世界中が「２０５０年カーボンニュートラル」一色に染まっている状況下、極めて勇気あるゲリラ的発言で、コメント欄も絶賛だったにもかかわらず、です。テレ東が取り上げなければ、誰も知らずに終わっていたかもしれないと思うと、日本のメディアの偏向さ加減に憤りを感じます。

発言の詳細はＹｏｕＴｕｂｅビデオを見ていただくのが一番良いのですが、少しまとめますと、氏はまず、自動車業界もカーボンニュートラル社会の実現のため、全力で貢献したいということを述べています。「自動車メーカーは、これまでも常に新しいことにチャレンジしてきたし、これからもしていく」と。まさにその通りだと思います。

しかし、氏はそれにもかかわらず、２０３０年代にガソリン車の新車販売を無くすことが、いかに困難であるかということを、多くの数字を上げて説明しました。中でも拘《こだわ》っていたのが、「電動化」という言葉の意味です。氏は、「電動自動車」にはＥＶ（電気自動車）だけではなく、ハイブリッドも含まなければならないと主張していました。

拙著『世界「新」経済戦争』（角川書店）でも触れましたが、ＥＵはハイブリッドを「電動車」に含みたくないのです。彼らは目下のところ、ハイブリッドが利便性とうまく合致する最良の技術だということ、そして、そのハイブリッドで圧倒的に強いのがトヨタであることを百も承知です。だからこそ、ハイブリッドをどうしてもEU市場から締め出したい。今でさえトヨタのプリウスは、安心の電動車としてEUで人気です。ドイツの自動車メーカーはEV開発で遅れているため、とりわけ日本のハイブリッド車を非常に恐れています。前述の潤沢な補助金も、もちろんハイブリッドには付きません。

ドイツのメーカーは、常に日本車をライバル視してきましたが、特にフォルクスワーゲン社のトヨタ敵視が激しい。フォルクスワーゲンが自社の車に不正ソフトを埋め込んだのも、その背景には、どうにかして米国市場からトヨタを追い出したいという焦りもあったと思われます。しかし、フォルクスワーゲンの「クリーン・ディーゼル」はクリーンではなかった。クリーン度が高く、しかも、安心して走行できるのは、今のところハイブリッドだけで、その技術は日本の宝です。

トヨタは紛れもなく日本が世界に誇る大企業で、ここ半世紀の日本経済への貢献は計り知れないものがありました。日本経済を支えているのは、昔も、そして今も自動車産業で、経産省はそれを「自動車の一本足打法」と言いましたが、その一本足の打者がトランプ大統領の関税攻撃で追い詰められても、助けようとしなかった。しかも、203

0年代にガソリン車の新車販売を無くすと言っているわけです。一本足打者を駆逐した日本は、いったいその後、何で食べていくのですか。

豊田氏は言います。乗用車400万台をEVにすれば、特に冬場は電気が10〜15%も足りなくなる。その量は原発なら10基、火力なら20基分。また、充電ステーション整備の投資コストが約14〜37兆円。なのに、「理解の少ない方々」が、ガソリンはやめろと無闇に主張している、と。400万の乗用車が一気にEVになることはあり得ませんが、しかし、本当にガソリン車が販売されなくなったら、EVを買えない人は車を諦めなければならないのでしょうか。そこで、氏の次の主張となります。

地方の人々のライフラインは軽自動車の存在です。軽は日本の国民車で、地方のモビリテイの8割を担っている。しかも、日本の道路は軽自動車しかすれ違えないような細い道が全体の85%を占めている。もし、カーボンニュートラルの美名のもとに軽自動車が庶民の手に届かなくなれば、地方は崩壊する、と。「一般国民の手に届かない車を作るのは、自動車メーカーがやってはいけないこと」という氏の言葉は、まさに氏の心の底から発せられたように、私には感じられました。

そして、実は、ドイツの事情もまるで同じです。ドイツは2022年に原発が止まれば、翌2023年より電気が足りなくなると予測されています。電力の確保が覚束ないままEV化を進めるのは無理な話ですが、そこは議論されません。また、都会を少し離れれば、自動車がライフラインである事情は、日本よりもさらに深刻かもしれません。そのライフラインである自動車を、補助金がついてもまだ高価なEVに変えて、充電ステーションのない土地で使えというのは乱暴な話です。だから、ドイツにおいても、これが通るとはとても思えないのです。

豊田氏曰く、日本の発電は現在8割近くが火力だから、同じ車を作るとき、たとえば8割近くを原発で賄っているフランスより、生産工程でのCO_2の排出量が多くなる。つまり、このままでは、ラディカルな脱炭素社会となりつつあるEU市場から、日本車はいずれ、ガソリン車もEV車も締め出される運命だと訴えています。

なお、あまり知られていませんが、EVの完成時に行われる充放電の検査では、1台につき平均家庭の1週間分の消費電気がただ無駄になるそうです。これを毎日、何千台分も行わなければならないということを、政治家はわかっているのかというのも、氏の訴えの一つでした。

氏はまた、さまざまな方面においてなされてきたイノベーションにも言及しています。

ガソリン車のCO$_2$排出量が2001年の2・3億トンから2018年の1・8億トンと22％も削減していること、また、同じ期間にEV車の走行距離が、リットル当たり13・2㎞から22・6㎞と71％も向上していることなど。日本のメーカーは、さまざまな分野で幅広く先端技術の開発に関わってきたし、今も関わっているのです。なのに、その一つを禁止するなど、愚の骨頂でしょう。

私が言うまでもないことですが、本来、企業がイノベーションを進める一番の動機は、利益の向上であるはずです。そのために、消費者が求めているものを的確に把握する。製品価格を下げるために技術革新がなされ、労働効率を上げるために合理化が進められるのです。

消費者も、単に安いものだけを買うわけではなく、企業に、人権擁護や環境への配慮があると見れば、それを支持します。つまり、人々の理念、企業の社会への貢献、そして企業と消費者の利益が良いバランスで結びついてこそ、イノベーションは、水が高いところから低いところに流れるように自然に進むのです。国連が、Environment（環境）、Social（社会）、Governance（企業統治）のESGなど打ち出す前から、日本のイノベーションはそうやって進んできたのではないでしょうか。

目指せ！「買い手よし、売り手よし、世間よし」の商売

ところが、現在、大声で叫ばれているESGは、それとは程遠いように感じます。政治が補助金の蛇口を握って、消費動向や、企業が何を作るかをコントロールしようとしています。つまり、そうやって無理やり生み出されるイノベーションは、需要と供給の自然なバランスの上に立っていない。言い換えれば、銀行も企業も研究者も、CO_2削減に尽力していると言えばお金を集めることができるのです。しかし、そこで作られるものを消費者は必ずしも求めていない。これは、自由主義経済の基本を逸脱している危険なやり方です。

豊田氏の警鐘はメディアに向かっても発せられています。そもそも世論というのは、いろいろな意見が報道され、それをサイレントマジョリティーである国民が吟味し、形成していくもののはずだった。ところが今、日本のメディアは、電動化はEV化だという認識で対立軸を形成して世論を誘導していく、と豊田氏は言います。穿《うが》った少数意見がCO_2削減や、ひいては民主主義を盾に大手を振っている現状への抗議です。

2019年末の世界の自動車メーカーの時価総額を見ると、第1位は依然トヨタです

が、それでもトヨタの未来は明るくないのです。なぜかといえば、企業全体の時価総額ランキングのトップを占めるのは、アップル、マイクロソフト、アルファベット（グーグル）、アマゾンといった米国の新興企業で、しかも、それらどの企業でも、たった1社だけで、自動車メーカー上位10社をすべて合わせたよりも時価総額が大きいと言うのが、現在の状況です。つまり、IT企業と自動車メーカーの資本の差はすでに比べ物にならないほど開いている。その上、近い将来、これら巨大なIT企業がEV市場に参入してくることは、ほぼ確実なのです。日本には、そのような巨大な企業はありません。一番大きいのがトヨタなのに、政治がそれを潰す方向に動いているのです。

電動化、そしてEV化は、時代の流れです。しかし、無理にやると、「この国で物作りを残し、雇用を増やし、税金を納めるという自動車業界が現在やっているモデルが崩壊する」と豊田氏は言います。だからこそ、「自動車産業はギリギリまで追い詰められている」という言葉も出てくるのです。

2020年、コロナのせいで就業者数が93万人減っている間に、自動車業界は雇用を11万人増やしたといいます。それを潰すような動きには、本来なら、日本人が皆で警戒心を強めなければならないはずです。そして、自動車をはじめ、日本の重要産業が、これ以上、日本から出て行かないために、政府はどれだけ多大な援助をしても、し過ぎることはありません。

「買い手よし、売り手よし、世間よし」は、江戸時代の近江商人の心意気ですが、これは元々、日本人の大商人の考え方だったのではないかと思います。いずれにしても、トヨタのような大企業が順調に利益を上げられるかどうかということは、単にその会社の盛衰ではなく、日本の存亡に関わってくることです。

カーボンニュートラル政策では、多くの税金が補助金という名で一部の企業を潤し、最終的に損害を被るのが国民になりそうで、これはどう見てもおかしい。

中でもその歪みを一番激しく被っているのが、前述の発電部門です。次章では、それについて見ていきたいと思います。

第七章　カーボンニュートラルと地球温暖化危険論の問題点

「CO_2フリー」を鵜呑みにするな

第五章で触れた経産省の「２０５０年カーボンニュートラルに伴うグリーン成長戦略」の付属資料によれば、「温暖化への対応を、経済成長の制約やコストとする時代は終わり、国際的にも、**成長の機会と捉える時代**に突入した」のだそうです（太字ママ）。とはいえ、「実行するのは、並大抵の努力ではできない」ため、重要なのが「民間企業の前向きな挑戦を、全力で応援＝政府の役割」ということだとか。

さらに読み進めていくと、「企業の現預金（２４０兆円）を投資に向かわせるため（略）、予算、税、規制・標準化、民間の資金誘導など、政策ツールを総動員」していく。具体的には、「経営者のコミットを求める仕掛けを作ることにより、政府の２兆円の予算を呼び水として、「民間企業の研究開発・設備投資を誘発（15兆円）し、野心的なイノベーションへ向かわせる」ということです。

では、何が野心的なイノベーションへの挑戦かというと、①電力のグリーン化＋電化、②熱・電力分野の水素化、③CO_2固定・再利用の分野と経産省は言います。では、このうちのどれが、どの程度、現実的な話なのかを考えてみたいと思います。

まず①の電力のグリーン化＋電化ですが、グリーン化というのは再エネを増やすことを指しています。ただ、そのうちの多くを占めることになるであろう太陽光は、化石燃料と比べると、いわば密度の大変薄いエネルギーなので、効率向上も、現在の10％を大幅に改善することは難しいと思われます。つまり、１００Ｗの装置を作っても、得られる電気は10Ｗしかないと言うことです。風力は、太陽光より効率は良いのですが、立地が難しく、また、大量導入には途方もない面積が必要になります。それに結局はどちらもお天気任せなので、大容量の蓄電設備がない限り、どう考えてもこれを産業国の主要電源にすることは無理でしょう。商業的に採算の合う蓄電池はまだ完成しておらず、新しい素材の開発が必要です。これができれば、おそらくノーベル賞ものではないでしょうか。

②の熱・電力分野の水素化は、やはり、再エネの弱点である電力の変動を吸収する手段として考え出されたもので、余剰電気で水素を作っておいて、足りない時にそれを発電などに利用するということです。

水素を燃料とする燃料電池の研究開発は、日本が世界一進んでいると言われ、水素の電気自動車の開発にも力が入れられています。しかも、化石燃料で水素を作ってもそのときに出るCO_2を地中に埋めてしまえば、CO_2フリーの水素ができるということで、それを目指した画期的なプロジェクトが、今、日本とオーストラリアの間で進んでいます。何を使って水素を作るかというと、オーストラリアのビクトリア州の褐炭です。褐炭というのは質の悪い石炭で、そのまま燃やすとCO_2が大量に出るばかりか、他の有害物質も出てしまいます。ちなみにドイツはこの安い褐炭が大量に採れ、いまだに発電施設で使っているため、CO_2がなかなか減らないという問題を抱えています。

日豪合同で進んでいるプロジェクトとは、オーストラリアの褐炭で水素を作り、排出されたCO_2は地中に押し込み、その水素を液化して特別仕様の水素船で日本に運び、それを日本の港でタンクに荷役するという技術の実証です。新しい技術の開発という意味では有意義なことだと思いますが、設備も高額で、素人が考えただけでも、この電気が非常に高価なものになるだろうことは想像できます。採算の取れるものになるには、まだ何十年もかかるでしょう。しかも、船を走らせるにも燃料は要りますし、その輸送路が将来、必ずしも安全である保証もなく、そもそも、これは国産燃料でもありません。日本が必要としているのは、なるべく他国に依存せずにエネルギーを確保することだと思います。

基本的に、水素を電源にするということは、電気を水素に変え、水素をまた電気に変えるという二度手間で、その間に多くのエネルギーが失われます。東京オリンピックの選手村など、採算を度外視した宣伝用プロジェクトならまだしも、実用への道はまだまだ遠い。最近では、太陽光の最新技術による水素製造工場が福島の浪江で竣工しましたが、そこでできる水素は、わずか150軒分の電気に過ぎません。

いずれにせよ、これらの開発はすべて、CO_2削減のためになされていることで、長期的には有意義なことです。しかし、そのために、今、どれだけの経済的犠牲を国民に強いることができるのか、CO_2フリーの世界が、どれだけの幸せを国民にもたらすのかが、きちんと議論されていません。日本は世界に先駆けて、昔からエネルギー効率の向上のために弛《たゆ》まぬ努力をし、しかも、それを着実に達成してきた国です。その日本がこの期に及んで、自国ではなく、他国に利益をもたらすだけのカーボンニュートラルに、どこまでお付き合いするべきか、もう一度考えるべきだと思います。

③のCO_2固定・再利用は、すでに触れましたが、これも実証的に成功した例はまだありません。しかし、それでも、おそらくこの3つの中では、一番現実味があると思われます。排出したCO_2を分離・回収し、あるいはコンクリートの原料の一部や、燃料として再利用する技術なども、日本が世界最先端のところで鎬《しのぎ》を削っているようです。要するに、最先端技術はあちこち（特にEU）で潤沢な研究費を得ながら、懸命に研究が進んでいますが、まだどれも実用には程遠いので、結局、掲げられているカーボンニュートラルの目標に近づく方法は、せっせと再エネを増やすことに収斂《しゅうれん》していきます。

ただ、問題は、莫大な費用をかけて再エネを増やしていっても、CO_2は本当に減るのかどうか？　おそらくそれほど減らない可能性が高いことです。公には触れられませんが、実は、太陽光にせよ、風力タービンにしろ、設備の製造に多くの化石燃料を使いますし、発電の変動分を補うためには、たいてい火力発電所が必要となります。さらに、現在、問題になり始めているのが、太陽光パネルや風車の廃棄の際のエネルギーです。廃棄に関する問題は、現在、世界中が電動化を進めようとしているEVのバッテリーについても、まさに同じことが言えます。

つまり、再エネがCO_2フリーと言う話はそのまま鵜呑みにはできないし、安価であると言うのも怪しいでしょう。何より、再エネを主要電源にする、つまり、再エネの変動分の調整まで再エネで行うには、揚水式水力発電（余った電力で水を上のダムに上げておいて、発電したいときにはそれを落とす）がない限り難しい。しかし、日本で今から大型の水力発電が増えることはほぼあり得ず、こうなると、２０５０年にカーボンニュートラルが達成できると言う話にも、かなりの疑問符がついてくるわけです。

中国を甘やかす環境団体の偽善

ただ、そこを追求すると必ず出てくるのが、「充電池はまだ高価だが、安価に生産する技術も幾つか開発中」とか、「スマホのように、突然、イノベーションが進むかもしれない（メルケル独首相）」などという、近づくと消える蜃気楼的楽観論です。開発している人たちは、おそらくそのような希望的観測は持っていないと思われますが、普通の人たちは、「もうすぐできるんだ！」と勘違いします。そして、莫大な投資に乗り出す人々は、おそらくそれらを虚構と知りながら、儲けの匂いに引かれて、カーボンニュートラルに向かって果敢に進んでいきます。それが投資家の習性といえましょう。

ただ、冷静にみれば、これによって一番得をするのは、やはり日本ではなく、中国です。2020年9月、中国は国連で、2060年のカーボンニュートラル達成を目指すと宣言し、世界を沸かせました。すでに2017年より、EUとともに地球を救うヒーロー役まで演じている中国ですが、実は、COP（締約国会議）では未だに開発途上国扱いを受けており、ガツガツとCO_2削減に励む必要はありません。それどころか、2030年まではCO_2はまだ増やせるし、その後徐々に減らしていけば良いだけです。だから、今は火力も原発も再エネもフルに使って、電源の開発をどんどん進めています。

中国の2018年のCO_2排出量は95億トンで、アメリカの49億トン、EUの32億トンを凌駕しています。これは、世界のCO_2の27%を中国が排出している計算となります。翌19年には、一人当たりの排出量でもEUを抜き、アメリカに次いで世界2位となりました。そこで、何が起こったかというと、これだけCO_2を出している中国抜きにはカーボンニュートラルは達成できないという声が高まり、中国のCO_2削減目標の発表に世界が一喜一憂するというおかしな空気が出来上がってしまったわけです。

ただ、もちろん懐疑的な声はあります。

中国共産党は2021年3月の全人代で、2021－25年の経済発展5カ年計画を発表し、21年にエネルギーの量を3%、25年までに13・5%削減するという目標を掲げました。これでCO²を18%削減するという計算です。そのために発電部門での原子力を増やし、石炭のクリーン化も図る計画です。ただ、この5カ年計画にはエネルギー消費量の数値目標も、エネルギー消費の上限も設定されていません。

しかも、中国の石炭プラント建設ブームは終焉に向かうどころか、これからますます活発化していくと思われます。中国の電源ミックスは6割が石炭だし、外国にも盛んに火力プラントを売り込んでいます。現在、中国が1年間に新設している火力発電所の発電容量は、日本で動いている全ての火力発電を合わせたぐらいの容量に達している計算になります。その他、オイルプロジェクトも進んでいますから、つまり、中国がカーボンニュートラルをどのように定義し、どのような手段で達成するつもりなのかは、まるで不透明なのです。フィンランドの研究機関センターは、2025年までに中国の排出量の伸びが鈍化する保証はなしと見ています。

しかし、不思議なことに、グリーンピースなど環境団体は、中国の批判には消極的で、どちらかと言うと、擁護するばかり。そして、その根拠とされるのが、中国が再エネに大々的に投資しているからというものですから、何となく、目標と事実が混乱しているように感じます。

確かに中国は、再エネもすごい勢いで増やしています。２０１９年には世界で投資された再エネの３割が中国だった上、ヨーロッパや日本で使われている太陽光パネルも、今やほとんどが中国製になっているような状態ですから、世界の再エネブームが進めば進むほど、中国の利益は伸びるわけです。

２０２１年２月、中国の債権市場にカーボンニュートラル債が登場しました。資金の用途はCO_2削減に資するプロジェクトに限られるとされ、ＥＵの欧州グリーンディールに似ています。ただ、ＥＵでは、原発をCO_2ゼロのプロジェクトとして認めるかどうかがなかなか決まらず、議論が続いていますが、中国では、カーボンニュートラル債の資金は原発への投資にも使われることになります。中国で稼働中の原発の数は、現在、米国、フランスに次いで世界第３位ですが、新規の建設が急速に進んでおり、このままいくと、２０３０年には世界一の原発大国となる予定です。いうまでもなく、先進国では原発の建設はさまざまな要因でなかなか進まないため、中国、ロシア、将来はインドの原発が徐々に世界を席巻していくと思われます。ちなみに中国は、まず２０３０年ぐらいまでに国内の原発も100基程度に増やすつもりだといいます。

EUとは一線を画せ

中国共産党の現政権が続くなら、原発も、火力も、再エネも、全てが予定通り推し進められていくでしょう。彼らにとっては、これは長期的な世界戦略の一つといえるものです。それに比べて自由諸国にとってのカーボンニュートラルは、かなり短絡的な投資目的であり、同時に、それを道徳的な動機に基づくかのように見せかけています。しかも、エネルギー政策としての合理性は、多かれ少なかれ最初から無視していますから、その矛盾は、いずれあちこちで噴出するはずです。しかし、今のところ、環境団体などの監視が厳しいこともあり、大幅な修正は至難の技です。結局は採算度外視のまま突き進み、その結果、一部の再エネセクターは巨大な利益を上げ、肝心の国家経済にはマイナスをきたしていくと思われます。国民の利益にはなりません。また、気候温暖化が止まるとも思えません。

実際問題として、すでに中国は、太陽光パネルでも、風力タービンでも、EVでも、EVのバッテリーでも、世界でのシェアを独り占めにしつつあります。それどころか2

020年には、米テスラを始め、中国のスタートアップなども、ついに中国からヨーロッパへのEVの輸出を開始しました。それに負けじと、さらに独BMWも今年から中国発の輸出を始める予定だといいます。

ドイツや日本のメーカーは、ここ20年来、息急き切って中国に進出し、巨大な中国市場を標的にした現地生産に励んできましたが、これからは、それらの製品がブーメランのように舞い戻ってくる可能性が高くなってきました。つまり、世界はまもなく、ありとあらゆるメイド・イン・チャイナ攻勢に晒されることになるでしょう。

いずれにしても、EUが、中国と組んで儲けられると思って作り出したカーボンニュートラルの夢物語は、たわわな実を結ぶ前に頓挫し、最終的に、タコが自分で自分の足を食べる形で終わるかもしれません。その道を自ら作り出したEUにとっては自業自得ともいえる話ですが、日本が無思慮にただ追従し、ともに衰退の道を歩むとすれば愚の骨頂ではないですか。

ただし、穿《うが》った見方をすれば、EUの指導者たちは、カーボンニュートラルの終着駅など、とうにお見通しにもかかわらず、今は中国を持ち上げ、地球環境の改善には中国が必要だということを強調しているとも考えられます。つまり、EU、特にドイツは、どうにかして今後も中国との商売を続けたい。しかし現在、米国が対中国に強行姿勢を取っており、特に中国の人権問題を取り上げて制裁を加えようとしています。こうなるとＥＵは、これまでのように政治は米国、経済は中国などという態度は維持しにくくなります。

そこで、温暖化対策はどうあっても中国と協力しなければ解決できないという理屈で、中国の環境問題での努力を過大評価し、あたかもこれとバーターのように、人権問題の重みを軽減しようと図っていることも考えられます。もし、ＥＵが、アメリカに対抗できる一大経済圏を作ろうとしているとすれば、彼らが中国と組んでも不思議はありません。そのためには、環境問題での協力というのは格好の隠れ蓑だし、中国も恩に着るでしょう。

日本がそういう疑いを全て考慮に入れた上で、今は一応、野心的な目標を掲げ、国内産業のイノベーションに寄与する投資はしっかりと維持し、その一方で抜かりなく、のちの調整の幅も持たせておくと言うなら、話はわかります。日本は幸いなことに、ＥＵの同調圧力はあっても、ＥＵの規則に直接縛られているわけではありません。ＥＵで、日本のことを親身になって考えてくれている国など、一国たりともありません。当然、

EUに梯子を外された時のことも考えておくべきでしょう。

ところが、菅政権を見ていると、大いに不安を感じます。2050年カーボンニュートラルには日本の将来がかかっているというのに、そんなことには一切触れない。それどころか、国民に人気の高い小泉環境相や河野行革相を前面に出して、「再エネでグリーン社会の実現を」という空気を、じわじわと作り上げようとしています。これを言っている限り、メディアからは叩かれず、国民受けも良いからだとすれば、これこそまさにポピュリズムです。実際、それを指摘するはずのメディアが、漫然とカーボンニュートラルへのミスリードに励んでいます。

日本経済の健全な成長を考えるなら、政府はまず安価な電力の安全供給を第一に掲げるべきなのに、その一番大事なことを誰も指摘しません。政治家がメディアと一丸になって、EUに追随していく姿には、戦慄を覚えます。これでは、隣でますます実力をつける中国に飲み込まれるための道を、脇目も振らずに突き進んでいくようなものではないですか。誤ったエネルギー政策は、日本の経済を脆弱化させ、いずれ独立が脅かされるかもしれない事態を招くかもしれないことなど、これでは国民も気づきようがありません。

CO_2を減らしても、温暖化は防げない

CO_2を減らしても地球の温度は下がらないと考える学者は、実は少なくありません。それは言い換えれば、地球の温度が上がっているのは、CO_2のせいだけではないということです。

キヤノングローバル戦略研究所の研究主幹である杉山大志氏によれば、猛暑も豪雨も山火事も温暖化のせいではないし、台風は今も増えておらず、シロクマは減っていない。寒さによる死亡の方が暑さによる死亡より遥かに多い。しかも、2050年にCO_2をゼロにしても、気温は0・01℃も下がらず、豪雨は1㎜も減らないだろうということです。

氏の主張は、小泉親子のそれとは違って、ファクトに裏付けられています。氏の最新著『地球温暖化のファクトフルネス』は、Kindle版なら99円で入手できるので、ぜひご一読いただきたいと思います。

https://www.amazon.co.jp/dp/B08W8GDGYT/

トランプ前大統領も同じ考えであったらしく、COPはお金がかかるばかりで環境の

ためには役に立たないと、パリ協定から抜け、EUを激怒させました。ただ、EUが怒った一番の理由は、最大の拠出金を払っているアメリカが抜け、予算が縮小したことでしょう。

そして、ここからが茶番なのですが、怒ったEUが手を組んだのが、なぜかCO_2排出トップの中国でした。この両国が「環境と経済の両立」として喧伝した温暖化防止対策は、投資による経済の拡張という点で利害が一致しています。しかし、もちろん、彼らはそんなことはおくびにも出さず、〝世界平和〟や〝惑星の未来〟と言った遠大な構想として世界に発信しました。

2017年、ドイツのメルケル首相と中国の李克強首相の共同記者会見では、「我々は国際的な責任を担う」(李)、「(神の)創造物を守るためにパリ協定を必要とする」(メ)と盛り上がり、それをメディアが、「EUと中国、温暖化対策主導」と持ち上げました。しかし、前述のように、中国は2030年までは、CO_2を減らす義務もないし、これから国内外にどんどん石炭火力を建設しようとしています。

いずれにしても、目下のところ、人間が産業革命以来の産業活動によって大気に放出してきたCO_2が地球の温度を上げてしまい、このままでは、北極と南極の氷が溶け、南の島が沈み、地球が、いや、最近の言い方では〝惑星〟が住めない星になってしまうというホラー・ストーリーが横行し、それに国連までがお墨付きを与えています。この理論に基づいて、今や、世界中の、特に先進国と言われる国々では、産業も、交通も、建設も、教育も、とにかくすべての活動がCO_2削減と結びつけられなければ認められなくなっているということは、すでに書きました。

しかし、もし、杉山氏の言うように、気候温暖化の原因がCO_2ではないとすれば？　もしそうなら、私たちは途轍もないお金とエネルギーを、砂上の楼閣を築くために、実用化の見込みもない壮大な実験に注ぎ込んでいることになるのです。

CO_2が増えても地球は滅びない

地球の温暖化が、人間が由来のCO_2によって起こっている証拠として大々的に取り上げられたのが、マイケル・マン氏（米ペンシルベニア州立大学教授・気象学）のホッケースティック図でした。これは、2001年、IPCC（気候変動に関する政府間パネル）の第3次評価報告で取り上げられたのですが、この折れ線グラフによれば、10世紀から19世紀の終わりまで地球の気温はほとんど変化せず、1900年ごろから突然上昇しているため、それが、ホッケースティックを横に寝かせたように見えたわけです。ただ、地球の温度が10世紀から19世紀まで変わらなかったというのは明らかな嘘か、良くても勘違いで、10世紀から14世紀にかけてはバイキングが活動する『中世温暖期』があり、また17世紀から19世紀にかけては世界各地で氷河が発達する『小氷期』があったことは古気候学ではすでに知られています。

ＩＰＣＣというのは、気象庁のホームページによれば、「人為起源による気候変化、影響、適応及び緩和方策に関し、科学的、技術的、社会経済学的な見地から包括的な評価を行うことを目的として、１９８８年に世界気象機関（ＷＭＯ）と国連環境計画（ＵＮＥＰ）により設立された組織」となっています。つまり、国連に属する組織で、世界の気候の専門家が集まっている。なのに、なぜかそこで、このような誤った報告が取り上げられてしまったわけです。

当然、このホッケースティック図は学者の間ですぐさま激しい反論を呼び起こし、結局、ＩＰＣＣもその後、中世の北半球は今と同じくらい暑かったことを認めざるを得なくなりました。ただＩＰＣＣは、２００１年報告が誤りだったとは言わずに、第４次評価報告で違う図を出しただけだったそうです。つまり、ホッケースティック論は静かに消え、しかし、消えたにもかかわらず、一般の人々の頭の中にはこの図だけが鮮明に残ったのです。

いずれにしても、CO_2排出と温暖化は無関係ではないが、それについては大きな誤差を以《もっ》てしか言えないとする学者は多い。ホッケースティック論争で不明瞭な態度をとり続けたIPCCでさえ、地球温暖化予測に関する大きな不確実性は認めています。

オランダ人のGuus Berkhout氏（デルフト大学教授）が、国連のグテレス総長に宛てて、気候変動による地球の危機など起こっていないということを訴えた公開書簡（2019年9月23日付）には、「現在の国際政治で広く使われている気候モデルは、その目的のためには不適切なものである。このような未熟なモデルに基づいて、何兆ものお金を無駄にすることは、間違いであり、賢明でない」と記され、多くの科学者が署名していました。

気候の変動は20世紀の前半（1910〜40年）にも起きています。原因はわかりません。自然変動だと言われていますが、その自然変動にも、太陽放射、エルニーニョなどいくつもの原因が考えられるからです。

もう少し長期で見ると、15〜19世紀の小さな氷河期にはロンドンのテムズ川がよく氷結したという記録もあるし、もっと長期で見ると、2万年前から現在にかけての氷期から間氷期への移行で地球の温度は大幅に上がり、最近の1万年程度は安定しているといいます。

イスラエルの天文物理学者ニル・シャヴィヴ氏は、「気温の変化はこれまでも常にあった。大きな影響を与えているのは定期的な太陽の活動で、CO_2の影響は微小である」という説を唱えています。「1000年前は地球の温度は今日と同じだった」。

しかし、多くの政治家たちは今も、人間が産業活動で排出したCO_2が地球の気温を上げたということを主張し続けており、それどころか、グレタ・トゥンベリ氏の「このままでは10年後に取り返しのつかない事態になり、地球が滅びる」という主張にも、異議を差し挟むことはありません。

それどころか、メルケル首相をも含めたドイツの政治家は、最近は必ず、「地球温暖化」という言葉の前に、「人間の手によって引き起こされた」と言う枕詞をつけるようになりました。こうなると、何となく洗脳のようにも感じます。

コロナ禍で世界的に産業が停滞したため、CO_2の排出は減りましたが、2021年3月末にWMO（世界気象機関）が発表したところによりますと、去年の地球表面上のCO_2の濃度は、過去360万年で最も高かったということです。メタンガスの濃度も同様で過去最高。将来、CO_2の排出量は、発展途上国の工業化につれて、さらに増えることは確実です。先進産業国がいくらカーボンニュートラルに向かって努力をしても、おそらくCO_2は減りません。しかし、それでも地球は滅びないでしょう。

地球の温度を人間の力で変えようなどという大それたことを言い出した人たちは、おそらくそんなことは百も承知で、何か他のことをグローバルのレベルで推し進めようとしているのだと思います。なのに、日本は、その危険な道に果敢に踏み込んでいる。

大勢の若者、あるいは若くない人々も、おそらく本気で、CO_2を減らさなければ地球が滅びると信じているのかもしれません。だからこそ、グレタ・トゥンベリ氏も恐怖に慄《おのの》き、あのように過激にCO_2の削減を訴えているのでしょう。しかし、私がトゥンベリ氏の母親なら、「グレタ、地球はそう簡単には滅びないからね」と、まず、我が子の恐怖を取り除いてやりたいと思ったでしょう。地球の救済は、子供の気持ちが落ち着いてからの話です。しかし、グレタの母親はその著書で、「娘はCO_2を見ることができる数少ない人間の一人です」と書いています。

第八章　エネルギー政策はドイツを見習うな

EUで一番高くなったドイツの電気料金

日本のメディアがいまだに優等生のように報じているドイツでは、エネルギー政策の欠陥が日増しに明らかになっています。原発はベースロード電源（365日24時間、安定して発電し続け、産業国の基礎を賄う電源）を賄っていますが、2011年、17基稼働していたそれが、2021年3月現在、6基と減っており、2022年末にはそれらもすべて停まる予定です。減った分の原発の代替には火力が投入されているため、CO_2は減りません。さらにいうなら、原発が全て止まる2023年以降の代替電源の見込みも、まだ立っていません。火力を増やして、CO_2をさらに増やすことは、ドイツの世論が許しません。かといって、再エネがベースロード電源を代替することは不可能です。2

020年には、ノルウェーの水力電気を輸入するための海底ケーブル「ノートリンク」がついに完成し、12月には試運転もなされましたが、まだその電気を南ドイツに運ぶ送電線が不足しているため、活用できるところまではいきません。つまり、八方塞がりの状態です。

そうこうするうちに、ドイツの家庭用電気の料金はデンマークを超え、EUで一番高くなってしまいました。再エネの経費は再エネ賦課金として一般国民の支払っている電気代に乗せられていますが、2010年には1kW時あたり2セントだった再エネ賦課金が、2017年には最高6・88セントまで上がり、2021年現在は6・5セントです。電気代の高騰は、皮肉にも、再エネが急増したことが原因です。

なぜ、再エネを増やすと電気代が高くなるのか？

再エネは、さまざまな優遇を受けています。発電した電気は全量を買い取ってもらえ、その買取費が一般消費者の支払う電気代に乗っています。再エネ電気がその買取費よりも高い値段で市場に出せれば問題はありませんが、お天気次第で電気の需要のない時にまで一斉に発電するのが再エネの特徴ですから、そういう時には電気は余り、値段は市場の原則通り暴落し、買取費との差額が膨らみます。そして、その赤字分がすべて消費者の電気代に乗るわけですから、国民の電気代は上がります。ちなみに、日本はこの制度を真似したわけですから、まさに同じことが起こっています。

その上、再エネの発電者は送電に必要なインフラも負担しなくて良いという破格の扱いです。もちろん、安定供給の義務もありません。だから、需要の有無には基本的に興味がなく、その様子が「Produce & Forget」と皮肉られているわけです。

つまり、この状態は言い換えれば、再エネ発電者の儲けを、ドイツ国民全員が電気代として負担していることになりますから、再エネは安いというのは、まったく正しくないのです。再エネから補助を全部剝《は》がして、他の電気と平等に自由市場に入れるなら、発電者は現在のような利益を得ることは絶対にできないでしょう。

ドイツで再エネが増えた結果、当たり前すぎる2つのことが起こりました。まず、①風が吹き、太陽の照る日には再エネ電気が余り、既存の電力会社は火力発電所の出力をできる限り絞らなければならなくなった。そして、②風が吹かず、太陽の出ない日には再エネ電気が減り、電力会社は全力で発電しなければならなくなった。

再エネの発電者はどちらに転んでも損はしませんが、火力発電所の方は、出力を絞れば当然、売り上げが落ちます。かといって、再エネの昼夜の発電量の差や、天候による差を吸収する役目を背負っているため、設備容量を減らすわけにもいかない。いつ太陽が翳《かげ》るか、いつ風が止むかもわからず、また、1年で、何度かしか起こらない極端なピークのためにも、設備を待機させておく必要があります。電力全体から見れば、完全に無駄な二重投資で、自由経済ではあり得ない展開ですが、再エネが自由経済ではないところで保護されているため、この歪みが生じるわけです。

結果的に、電力会社は火力発電の計画的な稼働ができず、思うように利益も上げられず、その上、急激な出力の増減を繰り返すため、発電設備に負担もかかり、些細なトラブルが故障を引き起こす危険も高くなっているといいます。そして、当然、この問題は、再エネの割合が増えれば増えるほど大きくなっていきます。ちなみに、現在のドイツの再エネの設備容量は、最大電力需要の1・4倍にも膨れ上がっています。天候に恵まれれば、それらが一斉に稼働し、発電するわけですから、電力会社の苦労が忍ばれるというものです。

ドイツは電気の輸出国？

2020年、ドイツの発電電力量の構成比では再エネの割合が4割を超え、それを称賛する声が日本でも上がりました。ただ、問題は、再エネが常に消費電力の4割を支えているわけではないことです。休日など電気の需要が少ない時にお天気が良ければ、太陽と風の電気で系統が満杯になり、ドイツは仕方なく、ただのような値段でその電気を国外に出すことになります。電気が系統に入りすぎると、さまざまなトラブルが起こり、最悪の場合、大停電を引き起こすかもしれないからです。それどころか、他の国でも電気が余っている場合には、なかなか引き取り手がないため、お金をつけて貰ってもらう事態まで起こります。それでもまだ余ると、発電者に補償を払って、発電停止を要請します。

この状態を緑の党などは、「ドイツが電気の輸出国になった」と、再エネの成功物語のように売り込むわけですが、ドイツが必ずしも「輸出」で儲かっているわけではありません。

それどころか、再エネが増えすぎて市場値段が下がれば、前述のように買取値段との差額が膨らみ、国民の電気代が高くなるというジレンマが起こります。なのに、日本のメディアは緑の党などの言葉をそのまま受け売りするため、大きな誤解を招いてしまっています。

なお、ドイツは1日も欠かさず、他国との電力の輸出入もしています。そういう意味では、ヨーロッパでは電力の融通が機能しているといえます。

ドイツが電力を買っている国は、ダントツがフランス、そして、オランダ、スイス、デンマーク、オーストリア、チェコ、スウェーデン、ルクセンブルク、ポーランドと続きます。ただ、フランスやスイスからは原発の電気、オランダなどその他の国からは石炭の電気も来るので、ドイツが原発や石炭火力を悪の権化のように忌み嫌っていることに鑑みれば、あまり理に叶っているとは言えません。

そのドイツが国産の電源として期待しているのは風力で、すでに現在、3万本の風車が立っていますが、これをまだまだ増やすつもりだといいます。ただ、景観やら健康被害など色々な理由で住民の反対が高まっており、建設は遅々として進んでいません。

なお、風力発電が盛んな北部の電源地帯から、電力需要の多い南部の産業地帯に電気を運ぶための送電線の建設も、ドイツのエネルギー転換政策における絶対条件でした。しかも、今ではノルウェーの水力電気を利用するためにも、その重要度はさらに高まっています。ところが、送電線の建設もやはり住民の反対で滞っており、2022年の完成予定を2025年まで延ばしたところです。ちなみに、これら送電線の建設費用も、やはり、再エネの経費として国民の電気代に乗っています。

なお、極め付きは、ドイツが2038年には火力も全て止めるという意欲的な目標を掲げていることです。それに合わせて現在、褐炭、石炭の順で火力発電を減らしつつあるのですが、そうなると、当面のところ、給電指令に応じられる電源は、揚水発電を除けば、ガスだけになってしまいます。これが果たして現実的な目標であるかどうかは疑問ですが、日本人はそれを聞いて恐れ入り、無責任なメディアが、ドイツを見習えと発破をかけています。エネルギーの安定供給、そして、膨大な経費を負担しなければならない国民のことに一切触れないのは、正しい報道とは言えないのではないでしょうか。

CO_2削減には再エネより原発が必要

日本では2011年、菅直人首相がドイツを見習い、再エネの余剰電気買取りであったFITを、再エネの全量を買い取る制度に変え、しかも、買取値段の一部をドイツより高く設定しました。以後、「利回り10%！」などといった宣伝文句に誘われるように、森の木が切られ、山肌が削られ、すごい勢いで太陽光パネルが増えたことについては、すでに第五章で書きました。

日が照れば、あるいは、風が吹けば必ず生じる発電事業者の利益というのは、商品である電気の売り上げで得られているわけではなく、国民全員が「再エネ発電賦課金」として支えているのは、ドイツと同じです。どれだけの賦課金を支払っているかは、毎月の電気使用量のお知らせに表示されています。これを電力会社が取っていると勘違いしている人も多いようですが、そうではなく、あくまでもこれは法律で定められた再エネ推進のための国民負担で、また、再エネ事業者の利益の原資です。

ただ、隣国との連携が完備し、ロシアのガスが陸上および海底パイプラインで生のまま輸送されてくるドイツでさえ、再エネが増えすぎると四苦八苦します。それを島国の日本が真似たのですから、その危うさは限りなく、一歩間違えれば亡国に繋がる難事です。国家の密集地であるヨーロッパと比べて、島国日本には、外国と連携するパイプラインや送電線も存在しなければ、国産の資源もありません。国内の電力会社で融通し合えば良いという意見もありますが、北海道が夜なら九州も夜ですし、台風は日本列島を吹き抜けます。再エネに依存しすぎると、早晩、停電になります。

その上、日本が輸入している燃料の輸送距離は長く、コストも高い。しかも、危険な海を通ってきますから、タンカーの走行はいつ妨害されてもおかしくない状態です。将来、ロシアとの間に海底パイプラインが敷設される可能性はあるでしょうが、何らかの政治的な確執が生じた場合、日本が、自国の国益を損ねないよう、ロシア相手に果敢に交渉することができるかどうかと考えると、かなり心許ない気もします。そもそも日本には、たとえ価格を釣り上げられても、交渉材料とする弾が何もない。何か弾を作ってからでなくては、おちおちパイプラインも敷けません。

日本の再エネ電気は、お天気が良ければ、今でもすでにダブついています。ただ、お天気が悪ければ、たとえ太陽光パネルや風車を今の2倍に増やしても、電気は無くなるのです。その増減を補うため、火力の二重投資も続けなければなりません。そして、これらの経費を全て電気代に乗せるのですから、「再エネ発電賦課金」も膨らんでいくでしょう。ドイツの場合、この負担を一般家庭と中小企業にだけ負わせ、大企業に対しては、「国際競争力を損ねないため」という理由で、免除、あるいは軽減していますが、日本は、産業用の電気料金にも、再エネ発電賦課金をかけています。つまり、将来、これらの負担が重くなりすぎると、産業は海外に脱出する危険があるということです。国内の優良企業と不動産が外資に買われ、国内の産業が空洞になるなら、日本の将来はどうなるのか。政府はこれに対してどういうビジョンを持っているのかが、一向に見えてきません。

日本が、もし、本当にCO_2を削減するつもりなら、原発抜きにはできないはずです。今、原発嫌いの多いEUですら、その結論に落ち着きかけています。日本はついこの間まで、安全な原発を自国で設計し、建設し、運用できる数少ない国の一つでした。しかし、福島の原発事故以後の空白のせいで、その技術が失われようとしています。今、立ち上がらなければ、日本は、原子力の先端技術まで、永遠に失ってしまう。もし、将来、やっぱり原発が必要だと気づいた時、中国やロシアに発注しなければならないとしたら、それこそ日本の政治の破産宣言に他なりません。原発の話題はドイツではタブーですが、日本ではタブーではありません。もっと活発に議論すべきだと思います。

第九章　電力自由化の罠にはまるな

「自由市場」に逆らう「電力自由化」

電気事業は、「発電」「送配電」「小売」からなっています。これまでは、東京の電気は東京電力、名古屋なら中部電力など、決まった電力会社がそれぞれの地域で、「発電」「送配電」「小売」の全てを一括して行なっていました。つまり、電気は水と同じで、住んでいる場所で決まっており、選ぶことはできなかったのです。

電気事業はこれまで、「総括原価方式」という料金制度に守られていました。これは、電気という重要、かつ公共性の高いものを自由市場に任せてしまうと不都合が起きるという考え方に基づきます。民間企業は利益の出ないことをする義務などないから、もし、自由化されれば、安定供給が損なわれ、電気料金が暴騰したり、極端な話、過疎地には電気が来なくなったりするかもしれない。また、万が一、経営状態が悪化して設備投資が滞り、停電が頻繁に起こっても困るし、倒産などされたら、もっと困ります。あるいは、自由化の下では電気も投機の対象となりますから、発電量を絞って、価格の高騰を目論む電力会社が現れないとも限らない。実際に、電気を自由化した後の米カリフォルニアでそれが起こり、大停電を招いたこともありました。その他にも、需給バランスを無視した欧米の強引な自由化では、多くの失敗例があったというのに、経産省の行った制度設計には、それがあまり生かされているようには見えません

いうまでもなく、電気は国民にとってのライフラインです。安定的で、適正な値段での供給が崩れれば、日本経済への打撃も計り知れません。そこで採用されたのが「総括原価方式」でした。つまり、電力会社が電気料金を決めるとき、通常のコストの他に、保全費、投資分までを総括で原価とすることを認め、その上に一定の利益分を上乗せして設定した料金を、管轄の役所が承認するという方式です。

そのおかげで、電力会社は価格競争をせずにすみ、赤字の心配もなくなりました。また、遠い将来を見越した大きな投資、たとえば、新しい発電所の建設なども計画的に進めることができました。もちろん、本来なら採算の合わない過疎地域や島にも、他の地

域と同様に電気が供給されました。要するに、この「総括原価方式」で保障された安定経営の下、日本には、世界に冠たる頑健《がんけん》な電力供給システムが構築されました。

ところが1990年代から、ヨーロッパやアメリカで電力の自由化が始まりました。それに続いて、日本でも徐々に、自由化が進められることになったのです。

日本の経産省は、「総括原価方式」を自由市場の障害と見たようです。絶対に損をしない料金体制に守られていては〝殿様商売〟に陥り、イノベーションが起こらず、経費の無駄が見逃され、サービスが硬直し、電気料金が高くなる。このような寡占状態は、改められるべきだという考えです。

自由化の目標は3つでした。①消費者の選択肢を広げる、②電気料金を下げる、③供給を安定させる。このモットーの下、電力自由化が段階的に進められ、2016年4月からは電気の小売が自由化されました。そして、2020年4月には、ついに「発電」「送配電」「小売」が完全に別会社になったのです。

その結果、何が起こったかというと、まず、小売業者が一気に増えました。大規模発電者から電気を調達して販売している大手から、単に卸売市場から買った電気を売って利ざやで儲けようという零細企業まで、とにかく群雄割拠。2020年9月現在、小売業者の登録数は672社に上るといいます。料金体制から、電源まで、各社がさまざまなプランを売り出し、消費者は自由に選ぶことができるようになりました（ただし、完全に自由化してしまうと、例えば過疎地の電気料金が上がってしまうので、そこにブレーキをかける機能は残してある）。また、発電部門にも多くの事業者が参入し、巨大なソーラーパークやウィンドパークが作られ、特に、四国や九州の太陽光電気は、お天気の良い日は、需要分の6割近くを供給するほどの発電量に達しました。全国の発電事業者の数は、2021年1月現在、大小取り混ぜて948社になっています（ドイツでも、自由化後に小売業者は雨後の筍のように増え、2020年、1350社を数える）。

本来の自由市場というのは、事業者は投資した費用を必ずしも回収できるかどうかわからないものです。ところが、前章で触れたように、現在の発電事業者は、再エネを電源としている限り、電気を固定値段で優先的に買い取ってもらえます（2019年より、住宅の屋根上用の小規模な太陽光発電の一部については除外）。これは、自由化とは真っ向から対立する制度ですから、この矛盾が需要と供給に基づく価格決定を不可能にし、自由化を不完全なものにしているわけです。本当の自由化にするためには、再エネの特典をなくしていく必要があるでしょう。では、残る「送配電」はどうなっているか？

送配電網は重要なインフラで、設備投資は莫大になり、しかも、収入は原則として電気の通行料に限定されるため、採算は合いません。つまり、自由化はできない部門といえます。そこで、別会社として分離はしたものの、地域独占や総括原価方式は残されています。そして、その送電の経費は託送料という形で、小売業者から徴収することになっています。そして、最終的には託送料は電気代に乗ります。いずれにしても2020年4月で、日本における電力の自由化はようやく完成したわけです。

危険な「再エネ」の過保護

2008年にノーベル経済学賞を受賞したポール・クルーグマン氏は、「市場を自由化してはいけない」3つの領域として、医療、教育、電力を挙げています。そして、奇しくも昨年末から今年の初めにかけて、電力をめぐる幾つかの問題が発生し、多くの関係者が、このクルーグマンの言葉を思い出すことになりました。

この頃、日本列島は10年に一度と言われる大寒波に襲われ、電力がジリジリと逼迫し始めた事情は、第五章ですでに詳しく書きました。普段なら余り気味の再エネも悪天候のせいで、長期に亘《わた》りほぼゼロでした。

では、この供給の不安定化と電力の自由化との間にはどんな関係があったのでしょうか？　自由市場ではどんな商品であれ、逼迫すれば値は上がる。つまり、この時がそうで、12月上旬には1kWh10円ほどだった電気が、1月半ばには221円まで上がりました。ここまで急騰すると、社会に与える影響は計り知れないものがあります。

自由化後に参入した電力の小売業者、これを新電力と呼んでいますが、新電力には、自分で発電施設を持たず、市場で調達した電気を転売していた事業者も多かった。つまり、そういう新電力は、急騰した仕入れ値に対応できず、窮地に陥りました。また、再エネの発電施設を持っている新電力も、この時期、太陽光は一切役に立たず、売る電気が無くなりました。ただ、それでも、顧客の家が停電になることは、もちろんありません。送電網はつながっているので、どこの電力会社と契約していようが、発電できる電力会社がある限り、電気は常にコンセントから出てきます。だからこそ、新電力のセールスマンは、顧客を勧誘する際に、「停電する事は絶対にありません」と強調できるのです。

つまり、新電力が売る電気がなくなった場合、発電施設を持っているこれまでの事業者が全力で稼働してそれを補います。ただ、補ってもらった新電力には、当然、後でその分の料金が請求されることになります。つまり、顧客が電気を使えば使うほど、新電力は借金が嵩《かさ》むという図になってしまいました。

問題は他にもあります。新電力の販売プランはさまざまで、１kW当たりいくらという固定料金で電気を買っていた顧客もいれば、市場値段に連動するようなプランで買っていた顧客もいました。固定料金で電気を買っていた顧客は、それほどの被害は受けませんでしたが、売っていた方は大赤字で、経営破綻は確実となりました。一方、連動価格の電気を使っていた顧客は、普段の何倍もの請求を受けることになったわけです。こうなれば顧客は離れるでしょう。どちらに転んでも困り、考えあぐねた新電力は、電気を供給してくれた電力会社に対して、料金を負けてもらう交渉を始めたり、国の保護を求めたりしました。

ただ、実際には、多くの新電力は送電インフラに投資することもなく、また、電力の供給を需要に合わせる義務もなく、市場に安く放出される再エネ電気を売って、利益を上げてきたのです。それが可能だったのは、この制度自体に欠陥があったからとも言えますが、しかし、欠陥のおかげで儲かっているときは良しとし、欠損が出た時だけ支援を求めるのが公平だとも思えません。必要なのは制度の抜本的な修正でしょう。

そもそも、これらの不都合の多くは、以前から想定され、警告も発せられていました。

例えば、新電力との価格競争が進めば、既存の電力会社の利益が減り、新規の発電施設が必要になっても、投資できなくなる危険がある。発電所は、投資の金額が莫大で、しかも、その回収期間が長いので、総括原価の担保がなければ、融資もスムーズにはいきません。

つまり電力に適度な自由化が必要だった事は理解できますが、すべてが自由化の美名の下で進められた結果、色々なことが犠牲になっている感は否めません。安定供給の責任の在処までが曖昧になってしまうなら、それは、長期的には、日本の電力事情を不安定にすることにつながります。

電気は国民のライフラインであるばかりでなく、産業の大動脈です。日本の高度成長は、いかにして電力を十分に確保するかの戦いでした。日本のようなハイテク産業国では、停電は数秒起きただけで甚大な被害が出ます。ましてや、その供給が不安定になれば、日本は産業国を放棄しなければならなくなると言っても過言ではないでしょう。

しかし、前述したように、2021年初頭、ほとんどの国民は電力が逼迫していることさえ、知らなかったのです。もし、万が一、停電になっていたなら、いったい誰がその責任を負ったのでしょうか。政府は都合の悪いことに蓋をするのではなく、エネルギーが、国家の安全保障という意味でも重要な役割を果たしていることを、もっとちゃんと国民に知らせて欲しいと思います。同時に、本当の自由化を目指すなら、需要と供給のバランスを崩すような再エネの過保護はやめるべきです。

第十章　日本の独立には原発が必要

中西宏明経団連前会長も正論を述べた

日本経団連は、政府が掲げた2050年までのカーボンニュートラルという目標に対し、独自の電力政策に関する提言「電力システムの再構築に関する第二次提言」を発表しました。その中で彼らは、再エネや蓄電池の活用の他、原発の必要性にも触れています。

また、つい最近、病のために辞任された経団連前会長の中西宏明氏も記者会見で、「2050年カーボンニュートラルの実現は原発抜きには困難」と明言しました。そればかりか、原発の新設や増設、原則40年の原発稼働期間の延長なども検討するよう政府に求めたのです。米国などでは、すでに80年の運転が認可されている原発も複数あります。

中西氏曰く、「原発の稼働年数の延長が、エネルギー自給率の改善、電気料金の抑制、

CO_2排出量の削減のいずれの観点からも望ましい」。

ようやく、福島以後、長く続いていた腫れ物を触るような原発の扱いに別れを告げ、何が真の国策であるかということについてはっきりものを言う経済人が出てきました。

中西氏は、言うまでもなく日立製作所の取締役会長、兼執行役として、日本の実業家の重鎮の一人でした。日立製作所は、戦後から現在に至るまで、通信、鉄道、家電、電子機器などさまざまな部門で、常に世界の技術の先端を歩んできました。もちろんエネルギー部門でも、重要な役割を担っています。

現在、先進国において、火力発電所はCO_2を出す悪者となってしまいましたが、ついこの間まで、日立のみならず、日本の火力発電所の技術は世界中で引っ張り凧でした。また、原発のメーカーとしては、日立は米ゼネラル・エレクトリック（GE）と共に、日本でも米国でも原発の建設に携わってきました。

トヨタ自動車にしてもそうですが、世界市場で頂点を目指して真剣勝負を演じている企業というのは、自社の生存が日本の将来と深く関わっているという自覚を明確に持っています。彼らの技術力と経営努力が、戦後の世界における日本を発展させ、さらに、技術、および経済大国としての地位をしっかりと築いてきたのです。つまり、企業努力はもちろん自社の利益向上のためですが、それは同時に、日本の発展に資するものだったわけです。つまり、世界の熾烈な競争の中、見通しや作戦を一歩誤ると経営は破綻し、結果として国家経済の脆弱化に繫がる。そうなれば、当然、日本経済は停滞し、良い技術を持った企業から順番に外国資本に吸収されていくでしょうから、いわば、大企業は、世界経済の真剣勝負の矢面《やおもて》に立っていたといえます。

私見ではありますが、これまでの日本の優良企業のトップ陣というのは、国家観が定かで、私利私欲のない人が多かったように感じます。そんな一人である中西氏が、日本が原発に触れないまま闇雲にカーボンニュートラルに突き進もうとしていることに対して大きな懸念を表明したわけです。

今の日本では、国民の間でエネルギーの重要性が認識されているとは、とても言えません。しかし、思えば、近代に入ってからの戦争は、たいていエネルギーをめぐって起こっています。ドイツとフランスは、常にアルザス・ロレーヌ地方やルール地方の石炭をめぐって争っていたし、第一次世界大戦で戦車や戦闘機が登場し、軍艦の燃料が石炭から石油へと転換すると、石油がないと戦争に勝てなくなりました。アメリカで20世紀の初めに自動車産業が興ったのも、石油を持つ米国が国家戦略としてそれを進めたからです。こうして、否が応でも石油の需要が急増しましたが、ヨーロッパには石炭しかなかった。ドイツがポーランドを突っ切ってソ連に侵攻したのも、日本がインドシナに進出したのも、その背景には石油の確保がありました。

そして日本は、石油の8割~9割を依存していた米国にその供給を止められた後、窮鼠《きゅうそ》猫を噛《か》む形で戦争に突入しました。しかし、どんなに優秀な技術者も、どんなに勤勉な国民も、石油がなければ血路を開く事はままならず、結局、大きな犠牲を払った上で、ひねり潰されてしまいました。近年に至っても、湾岸戦争は石油の利権の取り合いだったし、現在、ドイツとロシアを結ぶ海底パイプラインを巡る米国とロシアとEUの三つ巴の鞘当《さやあ》ても、ガスというエネルギーをめぐる紛争です。

原発の新設なくして日本の成長はない

エネルギーが日本にとって地政学上の致命的弱点である事情は、もちろん、今も変わっていません。2018年の日本の一次エネルギーは、石油、石炭、LNGが85%以上占めていて、そのほぼ全部を海外に依存しています。しかし、その輸送路である中東の情勢が極めて不安定なので、本来なら、日本は供給の安定のため、あらゆる手立てを尽くさなければならないはずです。

エネルギー政策で失敗すれば、日本の産業は間違いなく瓦解《がかい》します。しかも、それはあっという間でしょう。燃料が尽きて交通手段が途絶えるとか、電力供給が不安定になるというところまでいくずっと手前、つまり、燃料費が高騰しただけで、産業の瓦解は確実に起こります。そして、これは架空の話ではないのです。その可能性がここまでリアルに想像できるのに、国民が何の危機感も持っていないということが、はっきり言って驚きではありります。

しかも政府は能天気に、あらゆるものを電化しようとしています。その電気はいったいどこから来るのでしょう。再エネを増やせば解決するように言われていますが、太陽光や風力は発電が間欠的で、増えすぎると系統が不安定化する。その他の電源として上がっている水素やアンモニアは、いずれも開発中で、まだ商業的な実用化には程遠い。その上、水素を作るにも電気は必要なのです。

さらに、あと9年足らずで、ガソリン車の新車登録もやめるといいます。強制的なEVシフトが行われるとして、いったいその車は何で充電するのでしょうか？　化石燃料で発電した電気なら、CO_2削減には貢献できません。しかし、その肝心なことが一向に語られず、政治家は綺麗事ばかりを並べ立てています。本気でCO_2を減らす気で、しかも、産業国であり続けたいならば、日本のエネルギーは原発抜きでは不可能だと思います。

結局、痺れを切らして原発の必要性を言い出したのが、前述の経団連前会長の中西宏明氏であり、また、日本商工会議所会頭の三村明夫氏です。三村氏は２０２１年４月、政府が２０３０年の温室効果ガス削減目標を46％減に引き上げたことに対し、「（原発の）早期再稼働、新増設・リプレースを進めていくことが急務だ」と述べています。しかし、日本のことを真剣に考えているのが実業界の人であり、政治家は見果てぬ夢を語るというのは、いったいどういうことなのでしょうか？

資源エネルギー庁は、２０１８年に出したエネルギー基本計画で、２０３０年の電源構成における原発の割合を22～20％と打ち出しています。しかし、同時にここには、「可能な限り原発依存度を低減する」という相容れない目標も含まれています。

その結果、この10年、電力会社は原発をほとんど動かせないまま安全対策に莫大なお金をかけ、その代わりを務めている火力発電のために、やはり莫大なお金をかけて燃料の石炭とガスを輸入しています。当然、これらが電気代を釣り上げ、国民の家計を圧迫し、日本企業の国際競争力を弱め、海外に追いやることになります。

本来なら政府は、一刻も早くこのような不経済で不安定な事態を解消しようと考えて然るべきなのに、まるでそうなっていません。原発稼働の実施に関しては、電力会社が地元と調整してやってくれと突き放しています。

SDGsのバッジを着けるのが恥ずかしいと言える経営者

ついでに、もう二つ、本当にこれが環境のためか、と疑問に思うことを付け加えます。まず、安定的な再エネ電気と言われ、ドイツでも盛んなバイオマス発電について。バイオマスは家庭ゴミで賄っているように聞いていましたが、木を切って作った木材チップも使っているらしい。いや、日本など、ほとんどそれのようです。しかも、熱帯林まで切っているケースもあるというのですから、まったく本末転倒です。素人ながら、森林はそのまま置いておいたほうが、CO_2を吸収してくれるだろうと思います。

それどころか、2021年4月、WWF（世界自然保護基金）が発表したところによれば、EUは中国に次ぐ熱帯林の破壊者で、EUの中ではドイツがワースト・ワンだとか。熱帯林の伐採の理由は、もちろん木材チップのためだけではなく、健康食品、あるいはヴェジタリアンの人たちの食料として消費の多い大豆や、さまざまな用途に使われるヤシ油や、カカオやコーヒーなど嗜好品の栽培のための耕作地の確保、また、EU向けの牛肉のための牛の放牧地など多岐に渡ります。どれもこれも、豊かな国の人たちの贅沢のためです。

そして二つ目は、EVのリチウムイオン電池。環境にいいというEVのために、その原料のリチウムやコバルトの需要が急増しています。リチウムの採掘も環境に優しいとはとても言えませんが、とりわけコバルトは問題が多く、アフリカのコンゴでは、爆破した岩盤の中から、子供達が赤い粉塵の舞う中、防御服もマスクもつけずに、素手で茶色のコバルトを含む石を集めていると言います。コバルトは、放射性物質です。皆、目、皮膚、肺をやられる。EU諸国が「惑星のため」と言ってEVを推進し、途上国の子供達が文字通り犠牲になっているというのは、ものすごく矛盾の多い話です。ちなみに、コバルトの使用量は、スマホが5~10g、タブレットが30g、ノートブックが100gに対し、EVは10~15kgと桁違いです。なぜ、環境団体はこれを言わず、EVをオールマイティーのように扱うのでしょうか？

2020年10月、日経ビジネスの「賢人の警鐘」に載った、東レの社長の日覺昭廣氏の言葉が今も心に残っています。

「欧米は、ESG（環境・社会・統治）もSDGs（持続可能な開発目標）も常に投資目的だ。環境問題を項目に並べると投資家が評価してくれ株が上がる。だからすごく積極的にやるし、PRもうまい。だから僕は、SDGs（持続可能な開発目標）のバッジを着けるのが恥ずかしい。金融資本主義のマネーゲームに環境問題を組み入れ、ワイワイ騒ぐのはけしからんと思う。『この事業は地球環境に良いが、利益率が低いからやらない』という話では決してない」「SDGsだと言われたからではなく、当たり前だからやる。日本人は劣等感をなくさないといけない。欧米諸国が『自分たちは地球温暖化対策に貢献している』と主張するのが、おかしいと言い返せるくらいに」

私は、こういう経営者を、同じ日本人として誇りに思います。

元首相コンビの反原発妄言はひどい

一方、反原発を叫ぶ政治家は、いくらでも大きな声が出せる。その典型が、小泉純一郎・菅直人の元首相コンビで、この二人の妄言には筆舌につくしがたいものがあります。中でもいちばん困るのは、「原発、なくても大丈夫なんだ」（小泉氏）という主張。本来なら国民は、原発が止まっているがために、自分たちがどれだけの経済的犠牲を強いられているか、ましてや、日本という国にとってこの状態が、国防上もエネルギー安全保障上も、どれほど危険な綱渡りであるかということを知らされなければならないのに、「いちばん大切なのは人の命だ。原発などキッパリやめてしまえ！」と、現実をあっさりと蹴飛ばしてしまう無責任さです。

日本が国際競争に晒されていなかった時代なら、国民の総意で産業の発展をとめ、鎖国でもして質素に暮らすという選択肢もあったかもしれませんが、現代社会ではそれは通用しません。そもそも、お金のある人が清貧に暮らそうというなら、それは哲学でしょうが、お金がないので清貧にしか暮らせないとすれば話は別で、すぐに外国資本が参入し、日本をあっという間に植民地化するでしょう。日本のように、教育程度が高く、インフラが整い、健康で勤勉で、逆らうこともなさそうな国民がいる国をそのまま手に入れられれば、これほどの得はありません。小泉・菅コンビの言うとおりにしていたら、しかし、そうなってしまうのです。

2021年3月には、二人揃って外国人記者クラブのインタビューを受け、反原発の記者たちに囲まれ、「(福島をアンダー・コントロールといった安倍首相に対して) なんか反発（ママ）な言葉がもしあれば言ってください。よろしくお願いします」とか、「（福島があれほどひどい事故であったにも関わらず）日本全国、あるいは福島県でも、原発推進派の方はいまだに残っております。なぜ全ての日本人は原発反対派にならなかったのでしょうか」などと言われて、至極満足そうでした。「原発ゼロ、石炭ゼロでできる。太陽光や風力など、これほど恵まれた国はなく」、「5年間ゼロ。その間、北海道から九州まで1日も停電ない。既に日本は原発ゼロでもやっていけるっていう証明しちゃったんですよ」と小泉氏。

2018年9月に、北海道で地震の後、ほぼ全域でブラックアウトが起こったことは、忘れてしまったのでしょうか。

この時は、震源地に近かった火力から風力、水力とどんどん発電所が停止し、需給のバランスが大きく崩れて停電となりました。これが真冬だったならと思うと背筋が凍ります。間違いなく、膨大な死者が出ていたことでしょう。今さら言っても手遅れですが、泊の原発が動いていれば、ここまで酷いことにはならなかったはずです。泊原発は東日本大震災の影響は受けず、福島第一原発の事故の後も、翌年の5月まで1年以上も動いていました。つまり、日本で最後まで頑張った原発です。しかし、順調に動いていたにもかかわらず、定期検査で止めたが最後、稼働が許されなかった。

なお、小泉氏はドイツを例に挙げ、「あの日本の福島の原発事故を見て、ゼロに踏み切ったんですよ」と言っていますが、現在のEUで脱原発を高らかに掲げているのはドイツだけで、他の原発国はそれを真似る気配はありません。スウェーデンはやめると言ったのを撤回したし、新たに原発に舵を切ろうとしている国もあります。東欧の国々は、ガスでロシアに依存するのを嫌うため、原発というオプションがタブーではありません。例えばポーランドは新設を、ハンガリーは増設を考えています。そもそも、フランスが原発を減らして困るのは、そこから毎日電気を輸入しているドイツでしょう。

EUは現在、CO_2排出量が少ない経済活動への投資を促進するタクソノミー（分類システム）の法制化に向かって、詰めの作業を行っています。グリーンと言われる経済活動にしかお金を回さないとなると、いったい何がグリーンかという定義が争点となり、それにより原発の扱いも変わってくるわけです。グリーンの条件は、「気候変動の軽減に大きく貢献する」「廃棄物を減らす」など6つの目標をみたさなければならないとされているのですが、反原発派の先鋒であるドイツと、ドイツが大きな力を持っている欧州委員会が、原発をグリーンのカテゴリーから外そうとしています。原子炉は運転時にC

O_2を出さなくても、放射性廃棄物の削減には反するからという理由のようです。

ただ、それがＥＵ加盟国全体の意思ではなかった証拠に、フランスが現在、原発をグリーンエネルギーとして推進することを決め、東欧の6カ国も足並みを揃えてきました。そういう意味でも、小泉氏の主張は間違っているでしょう。

小泉氏はさらに核廃棄物の処理についても、実態とは合致していない「危険性」を煽っています。『小泉純一郎独白』（文藝春秋）というインタビュー集の中には、「原発爆破してメルトダウンを起こせば、放射能を浴びてがん患者がすごく出る。日本は右往左往、もう駄目」とか、「核燃料を溜めているところだって、やられたらおしまい。米軍基地なんか叩く必要ないよ」という発言もあります。核燃料を製造しているところの一つに、久里浜の核燃料成形加工工場がありますが、ここが爆破されても核爆発などしないことは、地元のご本人がいちばんご存じなのではないでしょうか。

ただ、私が一番驚愕したのは、菅氏の次の言葉です。少し長いのですが、引用します。

「原発をゼロにしたときに、本当にそれで電力が足りるかということを、まだ心配されている方がいます。そして、特に化石燃料を使わないと足らないんではないかと思われている方も多いんですけれども、私が計算をしてみたところ再生可能エネルギー、特に営農型太陽光発電という、日本には400万ヘクタールの農地がありますけれども、その農地の上でお米や麦や野菜を作りながらですよ。作りながら、その上で、太陽光発電で電気を起こすと。私、計算してみてびっくりしました。計算式は簡単なので言いますと、1ヘクタールについて500キロワットのパネルを並べる。で、だいたい1年間で1000時間の太陽が照ります。そうすると500×、つまり500キロワット×1000。500キロワット×1000×400万ヘクタールですから、400万。それ、ちょっとやってみてください。そうすると2兆キロワットアワーということになります。

今、日本が使っている電力は年間1兆キロワットアワーですから、この営農型太陽光発電だけでも、日本が今使っている電力の全てを賄うことが、理屈上は、理論上は可能だということが分かりまして。幸いにして、今、農林省が、逆に農業のほうで高齢化が進み、あるいは離農が進んでいる中で、農業も活性化し、そしてそれが再生可能エネルギーという形での電力の供給にもプラスになるということで、かなり積極的になっております。私はぜひ、この農林省に先日も予算委員会で提案したんですが、名前を少し変えてもらいたい。それは農林水産再エネ省というものにしてもらいたい。何か皆さん、びっくりされるかもしれませんが、200年前は、世界中のエネルギーは何で供給されていたかというと、まきとか炭なんですよ。つまりは農村が供給していたわけです。それが石炭になり、石油になり、原発になって。もう1回、今度は農地を使って、そういう再生可能エネルギーが生まれる。ある意味では大変自然なことでありますので、そういう方向に、少なくとも日本は、国土が比較的狭い中では、この農地を使うというのは画期的なことでありますので、そのことをぜひ実現したい。今日はそのことを、ちょっと話をする機会と思ってやってまいりました、以上です」(https://www.youtube.com/watch?v=R0m0OnvPois)

農地に太陽光パネルを敷き詰めれば、そこは陽が十分に当たらず、雑草は生えるが、農地としては制約が生まれます。それに、現在の農業はフルに機械を活用するのに、パネルを並べてどうやって機械を入れるのでしょうか？　蛇足ながら、400万ヘクタールに太陽光パネルが並ぶと想像すると、恐ろしい光景です。しかも、そのパネルのほとんどは中国製になるのでしょう。

パネルには寿命があります。寿命がきたり、破損したりしたパネルは処分しなければなりませんが、中国製のパネルには、ヒ素やアンチモンなど有害物質が含まれています。一昔前、日欧米のメーカーが太陽光パネルを作っていた頃は、これらの有害物質は使われていませんでした。もちろん、通常の建築、自動車、液晶画面、携帯のガラスなどにも、使ってはいけない事になっているものです。

ところが、中国政府の援助を受けた中国製の格安パネルが怒涛のように全世界に進出したとき、EUは、ヒ素とアンチモンは含有成分として表示しなくても良いという規則を作り、日本もこの基準に従っているのです。その後、日欧のメーカーは価格競争で中国に敗れ、次々と撤退に追い込まれたため、今やこの有害ガラスが世界中で使われているわけです。

太陽光パネルの寿命は風力の回転羽よりも短く、2030年代後半に、日本では年間20~80万トンのパネルが廃棄される見込みです。世界では500~2000万トン。アンチモンは発癌性が疑われ、ヒ素は毒性が高い。現在、出回っているパネルの有害物質の含有率は、そのまま埋め立てると地下水を汚染するレベルに達するといいます。回収後のガラスの行き先も不透明です。

現在、これらのガラスの実態調査とリサイクルの制度設計を試みている「ガラス技術研究所」では、代表の織田健嗣さん曰く、「自然は管理可能という欧米の考えを、はたして自然が認めてくれるかどうか」。いずれにしても、研究は緒に就いたばかりです。なのに、そのパネルを400万ヘクタールの広さに亘って敷き詰めるというアイデアは、尋常とは思えません。それこそトイレのないマンション状態に突入です。

それより、さらに論理破綻しているのは、この「営農型太陽光発電」で生まれる2兆キロワットアワーの電力だけで、日本が今使っている電力の全てを賄うことが、「理論上は可能だ」と言い切っていることです。夜間は？　梅雨など全国的に太陽が照らない時期は？　おそらくそれを指摘されれば、小泉氏と同じく、「蓄電技術がどんどん発達しているよ」で済ますつもりでしょうが、本当に蓄電技術がそこまで発達しているなら、誰も苦労はしません。現在、かろうじて機能している蓄電は、揚水式の水力発電のみで、バッテリー類は、まだどれも広域で実際の役に立っているわけではありません。近い将来、採算の取れる実用化が完成する気配すらないのです。

ただ、記者会見場ではそれを聞いた司会者曰く、「ぜひこちらのご提案の方も、小泉先生の息子さんにも、ぜひいろいろと伝えていただけたらと思います」。

日本は衰退の道を歩んでいます……。

河野太郎氏の〝性急な判断力〟に注意

なお、日本の政治家でもう一人、将来の実力者として期待されながら、やはり日本の衰退を早めているように感じられてならない人、河野太郎氏についても書き足します。

河野氏が2020年6月、迎撃ミサイルシステムのイージス・アショアの配備計画を、唐突に停止したことは記憶に新しいところです。それも、あまり誰にも相談もせずに、ほとんど一存で決めたといいますが、いまだにその理由がはっきりとは分かりません。

防衛省は、イージス・アショアが日本のミサイル防衛体制の中で、「24時間・365日、切れ目なく、長期にわたって」日本を守る柱になると言っていたのです。なのに、中止の理由は、お金がかかりすぎるから？　ミサイル発射後に落下するブースター（ミサイルの軌道を定める装置）が、どこに落ちるか心配している地元、山口県に迷惑がかかるという説明もありましたが、では、迎撃ミサイルが無くなったため、北朝鮮や中国の核ミサイルが、大都市に直接飛んでくることを心配している人たちにも、ちゃんとした説明をしてほしいものです。

あるいは、イージス・アショアなど実際の役に立たないという然るべき理由があるのなら、それに代わる防衛手段の検討を急ぎ、代替の目処がついてから中止を公表してほしかった。性急な中止公表を一番喜んだのは中国であり、北朝鮮だったのではないでしょうか。

河野太郎氏は、元々は脱原発を掲げていましたが、安倍内閣に入ると、一時、原発反対は封印。そして、その外相時代に大臣の私的な研究会として再エネの海外展開を検討する委員会を立ち上げ、防衛相時代は防衛関係の施設には再エネを供給すべしとの指示を出し、現在の規制改革相になってからは、風力発電の環境アセスの規制緩和です。現在、四つもの大臣職を兼任している河野氏ですが、では、日本の最重要課題であるエネルギーの安全保障について、一体どうしたいのかと言うことは、一向に見えてきません。

特に、将来の日本のエネルギー政策の要となるはずの原子燃料サイクルに対する彼の考えがわからないことが、今後、日本を背負って立つかも知れない河野氏であるがゆえに、とても心配です。

次章では、その原子燃料サイクルについて考察します。

第十一章　原子燃料サイクルは国家戦略

「鬼に金棒」となりうるＭＯＸ

まずは「原子燃料サイクル」の意味の確認からです。

原子力発電の燃料であるウランの鉱山はオーストラリアやカナダやカザフスタンにあり、原石を精錬して不純物を除いたものが、俗に言うイエローケーキです。ただ、この天然ウランには、そもそも、燃えるウラン、つまり核分裂するウランはたった０・７％しか含まれていません。それをウラン濃縮という複雑な工程を経て、最終的に核燃料に仕上げます。

出来上がった核燃料では、核分裂するウランの割合が３～５％、あとは核分裂しないウランです。熱は、核分裂するウランが分裂する際に発生します。そして、これを炉内で3～4年燃やすと、燃焼後にはその割合が変化して、核分裂するウランが約1％に減り、新しく約1％のプルトニウムが出来、3～5％の高レベルの放射性廃棄物が発生します。核分裂しないウランの割合は93～95％と、発電前とそれほど変わりません。

そのウランとプルトニウムを、使用済みの核燃料から取り出し、もう一度燃料（MOX燃料）にして使おうというのが、「原子燃料サイクル」です。そう言えば簡単そうに聞こえますが、実は超高度な技術で、誰もができるわけではありません。なお、MOX燃料は、すでに世界でこれまで六千数百体ほど使用されています。

ただ再処理は、原爆の材料となりうるウランやプルトニウムを取り出す技術ですから、誰もがやって良いことではなく、本来なら、核保有が認められている米英仏露中の5カ国にしか許されていません。それを例外的に日本ができるのは、米国が特別に認めているからで、日本の信用の高さを物語っています。同じく米国と原子力協定を結んでいる韓国は、米国の同盟国ではありますが、日本と同等の権利は持っていません。

この原子燃料サイクルを手がけているのが、青森県六ヶ所村の日本原燃株式会社です。再処理工場の建設は1993年に始まり、2006年からは試験的な再処理や、最後に残る高濃度の核廃棄物をガラス内に閉じ込める試験も行ってきました。ガラス固化の工程は困難を極めましたが、これも２０１３年には完成し、あとは、商業営業を待つばかりです。

なお、再処理工場では、全ての過程において余計な疑いをかけられないよう、取り出したプルトニウムにウランを混ぜてわざわざ不純にして、原爆が作れないようにしていますし（日本が開発した技術）、さらにＩＡＥＡの査察官が24時間常駐して一部始終を監視しています。また、六ヶ所にはウラン濃縮工場もありますので、同所ではやはりＩＡＥＡの無通告査察が年間13回、通告査察が数回と、年間計二十数回の査察が入ります。まさにイランや北朝鮮が嫌ったことです。

ウランの濃縮技術を持っているのは米国、フランス、イギリス、日本。もちろん、ロシアやイランも持っているでしょう。最近では、そのイランがウランの濃縮度を60％に上げるといいだし、物議を醸《かも》しています。なお、濃縮ウランから原爆を作るのは、プルトニウムから作るよりも簡単だと言われています。

ちなみに、六ヶ所村で開発した濃縮のための遠心機は、世界でトップクラスの性能と言われ、欧州ウレンコ製の遠心機のそれをも上回るものだそうです。蛇足ながら、広島に落とされたのがウラン型の原爆。米国はプルトニウム型も試してみたくて、長崎にはそれを落としました。

繰り返しになりますが、こうして厳重な監視の下、使用済み核燃料から粉末状のプルトニウムを取り出すところまでが「再処理工場」での作業です（プルトニウムは濃縮できない）。そして、今度はそれらを原料に、「核燃料工場」で再び新しいMOX燃料を作るわけです。

現在、すでに日本のいくつかの原発でもMOX燃料が使用されていますが、これらは使用済みの核燃料をわざわざフランス、あるいは英国に運び、そこで加工されたものを再び輸入したものです（ただし、英国のMOX燃料は不良品が多かったため、現在、使っているのは、すべてフランス製）。

もし、六ヶ所村の原子燃料サイクルが軌道に乗り、国産のMOX燃料の製造が可能になれば、資源貧国の日本にとってはまさに鬼に金棒です。ウランの輸入を減らせるし、ガスや石炭など他のエネルギーへの依存度も下がる。おまけに核廃棄物の量も大幅に縮小できます。つまり、国家経済的にも、CO_2の削減という意味でも、そして、先端技術の確保においても、極めて有意義なことなのです。まさに国家強靭化のための戦略と言えるでしょう。

原発は「トイレのないマンション」ではない

高濃度の核廃棄物は、前述のように、使用済み燃料全体のわずか3〜5％で、これを1人当たりの量に換算すると、一生のあいだ原発の電気を使ったとしても、単一乾電池一個分ほどだといいます。１００万キロワット級の原発が1年間稼働した際に発生する高レベル廃棄物の量は、ガラス固化体にして20本。固化体の大きさは高さが１・３メートル、直径40センチの円筒形です。

ガラスの安定度に関しては、エジプト時代のガラス製品が今も残っていることをみれば懸念の余地はありません。万が一割れても、放射性物質が浸み出すこともない。六ヶ所村の再処理工場で苦労に苦労を重ね、英国やフランスとは違った製法で完成させた日本独自のガラス固化体です。以前、こういうことをいっさい知らなかったとき、原子力発電の一番のネックは核廃棄物で、本当に「トイレのないマンション」だと思っていました。実際、それは今でも多くの人々の心配の種でしょう。

北海道の幌延《ほろのべ》深地層研究センターでは、地下３５０メートルの所に坑道を作り、放射能を絶対に漏らすことなく安全に保管するための、徹底した調査と研究が行なわれています。それどころか、2021年4月6日の報道では、さらに難易度が高い地質条件で研究するため、坑道を地下500mまで掘り進める方針だといいます。

いずれにしても、この施設の、しかも、実際に地下350メートルのところで見聞きすることは、おそらくほとんどの人の考えが、くつがえると思うほどの迫力です。高濃度の核廃棄物の最終処分というのは、要するに、ガラス固化体を人間が生活する場所から隔離しておくということですが、この研究所を見学して以来、私はそれが可能だと確信しています。

幌延では研究を行なっているだけで、本当の核廃棄物は存在しません。本物があるのは六ヶ所村の貯蔵センターで、ステンレス製のキャニスターに入ったガラス固化体が、地下の、厚いコンクリート製の貯蔵ピットに保管されています。保管場所の上は、人間が歩いてももちろんいっさい危険はありません。実際、この高レベル廃棄物の保管場所の上を、防御服も着ずに人が歩いていました。目下の課題は、これらを安全に、半永久的に地下深くに保管するため、幌延のような安定した地層を見つけることです。今、そのための文献調査の候補地を募集しており、名乗りを上げたのが、北海道寿都《すっつ》町と神恵《かもえ》内《ない》村です。おそらくここの責任者らも、幌延を見学して、これなら大丈夫と確信したのではないかと想像します。

六ヶ所村の再処理工場に話を戻せば、これが稼働すれば、年間800トンの使用済み燃料を処理することができ、最大130トンの燃料の製造が可能になるそうです。今、日本に貯蔵されている使用済み核燃料は約1・9万トンありますから、それを回収・再利用すると、日本の必要とする電気の約1・5年分が賄える計算です。つまり、日本にとって、小さな油田を一つ入手するのと同じくらいの意味があります。

ところが、再処理工場も核燃料工場もこれまで4半世紀にわたり、様々なトラブルに見舞われ、完成期日が延び延びになってきました。特に、福島第一原発の事故以後は設計基準が見直され、審査がほぼ振り出しに戻り、安全対策に膨大な時間とお金が費やされました。その上、やはり福島の事故後、原子力産業を阻止することが社会の正義であるかのように主張する人たちが増え、向かい風が一段と強くなりました。そんなわけで、前述のように、国家経済的にも、CO_2の削減という意味でも、そして、先端技術の確保においても、極めて重要な燃料サイクルの意義が、いまだに全然、国民に認知されていません。

なお、将来は、火力発電所はCO_2を回収するためにＣＣＳ（二酸化炭素回収・貯留技術）

が必要になり、そのコストが膨大になっていくでしょうから、原発は、再処理や廃炉や安全対策の経費を考えても、割安になると思われます。

原発技術は日本の財産・希望

そんな逆境の中、2020年7月、ついに再処理工場が審査に合格しました。そして、12月にはMOX燃料工場の合格もそれに続きました。当初、1997年だった再処理工場の完成予定は25回も延期されました。それが、今、ようやく操業開始が2022年と決まったのです。

六ヶ所村は、人口1万人余りの小さな村です。原子力産業との関わりは深く、日本原燃との交渉の歴史は70年代まで遡れます。正式に立地の申し入れがなされたのは1984年。その後もチェルノブイリ原発の事故が起こったり、2012年9月には、当時の民主党が六カ所村と何の協議もないまま、突然、再処理事業からの撤退を党の決定として公表したり、さまざまな試行錯誤がありました。ちなみに、この民主党の決定に対しては、当時、六ヶ所村議会が猛反発し、即、翌日に、「直ちに使用済み燃料と、高レベル・低レベル廃棄物を村外に搬出すると共に、損害賠償を請求する」旨の意見書を全会一致で可決しました。それを受けた民主党はグーの音も出ず、結局、「再処理路線は堅持」ということに戻ったのです。

原子力関連施設に関しては、当然、常に賛否両論がありましたが、果てしない討議を繰り返しながら、一歩ずつ進み、今日に至った背景には、「出稼ぎの村」と言われた貧しい村を、何としてでも豊かにしたいという、村の指導者たちの熱い思いがありました。と同時に、村民の心の中には、自分たちが国のエネルギー政策を支えるのだという矜持《きょうじ》もあったのです。実際、今では、六ヶ所村は世界の原子力技術の最先端を担っており、まさに堂々たる「科学の村」です。

現村長の戸田衛氏は、六ヶ所村議会が民主党の無責任な思いつき決定を一晩で蹴っ飛ばした時、副村長だった人です。その彼が、再処理工場が審査に合格したとき、こう述べました。

「着工からここまで27年間を費やしたことを考えると、長い道のりだったと言わざるを得ない。東京電力福島第一原子力発電所の事故を受けてつくられた、世界で最も厳しい新規制基準の適合性審査にも申請から6年半余りを経て、今年ようやく合格できた。長いトンネルの出口に立ったと思っている」。感無量だったと思います。

ただ、現在、他の問題が出てきました。せっかく燃料サイクルが始まろうというのに、多くの原発が止まっているため、ＭＯＸ燃料を装荷する炉がないのです。２０２０年末、電事連が２０３０年までに少なくとも12基の原発でＭＯＸ燃料を装荷することを公表しましたが、現在、福井の高浜原発3、4号機、愛媛の伊方原発3号機、佐賀の玄海原発3号機のみしか動いていない。このままでは宝の持ち腐れになります。その上、まだフランスから戻ってくる予定のＭＯＸ燃料やプルトニウムもあるので、結局、将来、いかに速やかに、そして安全に、原発を稼働させていくかということが、重要な課題となっています。そもそも２０５０年のカーボンニュートラルを謳うなら、２０３０年の時点で少なくとも30基の原発が必要です。だからこそ、今後のエネルギー基本計画には、原発の新・増設を是非とも入れなければなりません。

思えば、青森県は不思議な場所です。核燃料サイクル施設の他にも、豊かな風を利用した多くのウインドパークもあれば、広大なメガソーラーもある。むつ小川原《おがわら》国家石油備蓄基地や核融合の研究施設、もう少し遠くを見れば、海上自衛隊の大湊基地もあるし、航空自衛隊の三沢基地もある。むつ市の釜臥山《かまふせやま》は恐山《おそれざん》山地の最高峰ですが、その頂上の巨大なレーダーが、昼夜、日本の北の空を見張っています。青森ほど目立たずして、しかし、幾重にも国家戦略の一環を担っている場所は珍しいのではないでしょうか。

燃料サイクルが稼働し、東通《ひがしどおり》原発も再稼働して、そして、技術協力や共同研究のために、世界の防衛関係者や原子力関係者が下北半島に飛んでくるようになれば、日本は間違いなく明るくなると思います。青森空港は国際空港として活気付き、青森はもはや過疎のベールの下で眠っているわけにはいかなくなるでしょう。技術は私たちの財産であり、希望です。

「反原発」に感情論で走る朝日と裁判所

東日本大震災前、日本には54基の原発があり、震災後、一時、その全てが止まりました。その後は廃炉の波が訪れ、今、残っているのは33基。そのうち再稼働を果たしたのは、たった9基に過ぎません。一番最近では、２０２０年11月、福井県の高浜町議会が、２０２１年４月28日には福井県知事が関西電力の高浜原発１、２号の再稼働に同意しています。

資源エネルギー庁が２０１８年のエネルギー基本計画で、２０３０年の電源構成における原発の割合を22～20％と打ち出していたことはすでに書きました。しかし、エネ庁がその達成を支援しているかというと、どうもそうは見えません。再稼働に関しては、電力会社が地元とよく話し合って決めるようにということですが、反対派は手段を選ばず、よく話し合って決まるような雰囲気はあまりありません。そうするうちに、彼らが訴訟を起こし、裁判所が再稼働取り消しの判決を下すということが繰り返されています。

2021年3月には、茨城県の日本原子力発電の東海第二原発で、やはり司法の手で再稼働が阻止され、理由は、避難計画の不備でした。つまり、避難の際に渋滞が発生する恐れがあるとか、地震に備えた複数の避難経路の設定、あるいは汚染を調べるための検査の人員や資機材の確保などに課題が残されているからということです。しかし、こんなことで原発の稼働を阻止して、得られるものは何もありません。原発を廃止し、放射能の危険がなくなればそれで良いのだという人はいるでしょうが、物事はプラスマイナスの双方から考えなくては間違った結論に陥ります。住民が1秒を争って逃げなければならないような事故が起こる確率は極めて微小なのに、それを無視して、まだ確立していない再エネに全てを掛けて突き進んでいけば、歪みが起きることは間違いありません。電気代が高騰し、電力の供給までが不安定になれば、それは、日本を一気に発展途上国に後戻りさせることになると、なぜ、誰も言わないのでしょうか。避難経路の改善や検査の人員や資機材の確保は、稼働しながら行えばいい話です。裁判官は本来なら、原発を稼働することのメリットとデメリットを、もっと大所高所から判断するべきで、「危なそうなので止めて欲しい」という素人考えを支持する判決を出すことは、極めて無責任な行動だと思います。

おかしいことをしているのは一部のメディアも同様で、例えば、朝日新聞は一貫して「老朽原発」という言葉を使用し続けています。２０２０年10月、関西電力の高浜原発（福井県）で、地元の町議会が40年を過ぎた1、２号機の再稼働に同意したことに因み、朝日新聞は「老朽原発『40年原則』を思い出せ」という社説（２０２０年11月26日）を掲載しました。老朽という言葉には、錆びついた自転車のようなイメージがあります。

しかし、原発の場合、材質の疲労度も厳重に検査され、取り替えられる部品は定期的に取り替えています。だから40年過ぎても運転に何の支障もないし、見た目も新品と見紛うほどです。蛇足ながら、火力には本当に老朽している発電所がありますが、再エネの穴埋めのため、それをこき使っていることには、誰も文句も言いません。

世界の常識では、原発の寿命は現在、60年を通り越し、80年に向かっているのです。順調に動き、安い電気を作れるものを、産業国日本がわざわざ廃止するメリットは何もないと言っても良いでしょう。しかし、朝日新聞の記事では、そこら辺が全く論じられていません。

「老朽原発を閉じる姿勢をはっきりと示し、民間事業者の再エネへの投資を後押しする。原発に依存してきた自治体とともに地域社会の将来を考え、政策で支援していく。それが政府の務めではないか」という文章は空虚で、原発が嫌いという感情しか伝わってきません。「経済的にも疑問が多い古い原発に見切りをつけ、経営を転換する。それが責任ある対応だ」というのがこの社説の結論です。しかし、原発はたとえ「老朽」でも経済性は見劣りしないし、再エネに転換して、代替の火力を待機させる方が経済性は格段に悪い。また、CO_2削減に関しても全く触れていないのは、故意のミスリードで、マスメディアの横暴と言えます。朝日新聞こそ、「責任ある対応」と真摯な報道を心がけるべきではないでしょうか。

ドイツはロシア（ガス）に依存しすぎ

朝日が言うように原発を無くせばどうなるかということは、おそらく2023年、ドイツが示してくれると思います。ドイツでは2019年、7基の原発が全発電量の12%

である750億kWhの電気を供給していました。しかし、これが22年末で全部なくなり、同時に、約10基の褐炭の火力も止める予定です。そうなると、23年には、今あるガス火力が全部稼働すると仮定しても、1年8760時間のうちの2900時間は安定供給が崩れるという試算が出ています。これはもう、他の電源や蓄電池の整備で修正できる規模ではありません。

止める原発と褐炭火力の分は風力で代替する方針だといいますが（太陽光発電は設備容量は大きいが、日没時と雨天で脱落するため、ベースロード電源としては当てにされていない）、風車で褐炭火力1基を代替しようとすれば約850本、原発1基分なら1330本が必要だといいます。しかし、ドイツにはすでに3万本近い風車があり、このままさらに増やし続けるというのは、景観も損なわれるし、あまり現実的ではないでしょう。また、たとえ風車がどれだけ増えても、風のない時には発電ができないのですから、供給の安全を保障する意味で、将来はガスの重要性が増すことになります。

実はドイツは、すでに危険なまでにロシアのガスに依存しています。ロシアからの輸入は、天然ガス全輸入量の3割内に抑えると言っていましたが、現在、すでにほぼ4割です。

ノート・ストリーム（Nord Stream）というのは、２０１１年に完成したロシアからバルト海を横切ってドイツにつながっている天然ガスの海底パイプラインですが、これによる輸入だけでも現在５５０億㎥に上ります。その他、昔ながらのウクライナやポーランド経由の陸上パイプラインを通じても、ロシアのガスは広く西ヨーロッパに供給されているわけです。

さらに、ドイツとロシアは、２本目の海底パイプラインNord Stream 2を作る計画を進めており、これが完成すれば、海底パイプラインを通じての輸送量は年間１１００億㎥と一気に倍増する予定です。ところが、２０１９年には完成するはずだったこのプロジェクトが、今、宙に浮いています。米国が、建設に加わった会社に制裁を加えると脅した途端、ほとんどの企業が降りてしまったからです。そんなわけで、全長１２２０㎞のうち、ドイツの近くの最後の１６０㎞ほどの区間が未完成のまま残ってしまいました。

米国がNord Stream 2の建設に反対している理由はいくつかあります。まず、ヨーロッパがロシアのガスに依存しすぎるという懸念。すでに今でさえ、ヨーロッパのガスは約半分がロシア産なのです。しかも、米国はＮＡＴＯに莫大な経費をかけてヨーロッパを防衛しています。何から防衛しているかというと、ロシアの脅威からのはずなのに、肝心のヨーロッパ（実はヨーロッパではなくドイツ）がロシアと組んで商売に夢中です。これでは当然、バカを見ているのは米国だという結論になるでしょう。

米国はすこぶる本気で、２０２０年6月には制裁をさらに強める法案を出しました。独政府のエネルギー担当者らは憤慨し、「我々は米国の属国ではない」、「内政干渉をやめろ」という意味の陳情書を米議会に提出しましたが、効果なし。法案は通り、制裁の対象がさらに広がりました。

「世界一バカげたエネルギー政策」で迷走

ただ、興味深いのは、Nord Stream 2に反対しているのは米国だけではないということです。実は、ヨーロッパのほとんどの国が反対している。ポーランドとウクライナは、Nord Stream 2が完成すれば自国を通過している陸上パイプラインが御用済みになり、膨大なパイプライン使用量が見込めなくなるから反対。バルト海3国やスウェーデン、デンマークは、ロシアのヨーロッパに対する影響力がこれ以上増強することを警戒して反対。また、イタリアなど南欧諸国は、ドイツが完全にヨーロッパのエネルギーの蛇口を握ることになるので反対。そればかりか、肝心のEU委員会も、Nord Stream 2はE

Uが目指している原産国、ルート、販売者の多角化という目的に反するとか、あるいは、これをそのまま進めれば、ロシアが国内で行っている人権蹂躙を認めることになるなどという人道的な理由で反対しています。

なお、ドイツ国内でさえ、「ガスなど要らない」、「再エネをもっと増やせ」という再エネ派や、あるいは「海洋の生態を破壊するな」という動物愛護派など、反対の主張が喧《かまびす》しい。要するに、このパイプラインもそうですが、脱原発も含めて、ドイツ政府の行っているエネルギー政策というのは、EUではおしなべて孤立しているという状態なのです。

しかし、それでもドイツ政府はNord Stream 2を諦める気はなく、アメリカの制裁を逃れる手段として、2021年1月、「気候、環境保護のための基金・MV」を設立しました。これは、環境と自然と気候の保護を目的とした州立の基金という触れ込みですが、実は、Nord Stream 2を完成させるための「フェイク基金」と言われています。プロジェクトの参画企業は、この基金のための仕事を受注するという建前にして、残りの工事を完成させてしまおうという一か八かの試みです。同基金の資金の90%は、ロシアの国営企業であるガスプロム社が負担しています。

ドイツ政府がNord Stream2を諦められないのは、もちろんこれまでの投資と完成後の利益が巨大であるからということもありますが、しかし、前述のように、2023年以降は頼りになる電源がガスのみしかなくなるという切羽詰まった事情も大きい。BDEW（Bundesverband der Energie- und Wasserwirtschaft＝ドイツエネルギー・水道事業連合）のCEOいわく、ドイツは「何の対策を施すこともなく、遅くとも2023年にやってくる安定供給の崩壊に向かって歩んでいる」そうです。しかし、もちろん、ドイツ政府が何もしていないわけではありません。今となっては、電気の不足は想定済みですから、その時、即刻、電気を輸入できる体制が色々考えられています。

先に少し触れましたが、ノルウェーの水力電気を輸入するための海底送電線は、2020年に完成しました。ただ、これも前述しましたが、ドイツでは北で余り気味の風力電気を南に運ぶ送電線の建設が遅れているので、当面は使えません。今、使うとすれば、反対に、ドイツ北部で余った風力電気をノルウェーに運ぶことでしょうが、ただ、ノルウェーには水力電気が有り余っていますから、良い値段で輸出できるかどうかはわかりません。

ただ、このことでもわかるように、ヨーロッパにおける電力の連携の整備はどんどん進んでいます。ドイツ政府は、万が一、電気が不足したときのため、予備の火力発電所が国内外に用意されていることも強調しています。去年、止められた石炭火力のうちの5GW分は、連邦系統庁が良しというまで、予備の戦列にとどめ置かれているといいます。これを指して、元経済・エネルギー大臣は、「ズボン吊とベルトの両方をしているほど十分な備え」と言っていましたが、普段使わない発電所を待機させておくには、膨大な契約金を払わなければなりませんし、これも、消費者の電気代に再エネ賦課金として乗るのです。つまり、国民にとっては、非常に高価なズボン吊とベルトになります。

付け加えるなら、現在、電気の不足した時に輸入している電気には、ドイツ人の嫌いな原子力や石炭・褐炭の電気も含まれます。それを「欧州全域の電力統合」などという美しい言葉で呼んでみても、ドイツのエネルギー政策の矛盾は隠せないと感じます。

なお、将来、石炭火力を止めるための経費も莫大になります。閉鎖する炭鉱や、関連企業に対する賠償、失業者の救済や職業訓練などを賄うために、ドイツ政府はまずは400億ユーロ（約5兆円）の予算を組みました。ただ、そのお金をどこから捻出するか、そして、失業者をどうするかについては、具体的な案はまだありません。ウォール・ストリート・ジャーナルは、そんなドイツの現状を、「世界で1番バカげたエネルギー政策」という辛辣《しんらつ》なタイトルで報じていました。

エネルギー政策が国家の最重要事項の一つであることは、いつの時代も変わりません。安価なエネルギーを安定的に供給できるかどうかに、産業の盛衰が掛かっています。それについては、本書でも何度も強調しています。ところが、ドイツのエネルギー政策はかなり迷走しており、価格が高くなりすぎる恐れが濃厚ですので、おそらくこれからジグザグ修正が行われるだろうと想像します。

しかし、肝心なのは、日本の状況です。電力を融通し合う隣国もなければ、風車を何万本も立てられる平地や遠浅の海もない日本の状況は、ドイツのそれより格段に深刻です。ですから、それを正しく認識し、どうすれば良いのかを、安全保障の問題として考えていく必要があります。

第十二章　「武装中立」「原発維持」のスウェーデンを見習え

衰弱する日本は立ち直れるか

ここ30年、日本は悲しいかな、かなり衰退してしまいました。ＩＭＦが発表している名目ＧＤＰ値で、米国、中国、日本のそれぞれのＧＤＰが、世界全体のどれだけの割合を占めているかというと、２０００年には米国が30・2％、日本が14・4％、中国が3・6％でした。それが２０１９年には、米国が24・5％、中国が16・8％、日本はわずか5・8％に落ちています。ドイツも興味深いことに日本と同じく伸び悩んでおり、２０００年は5・7％だったのが２０１９年は4・4％。どちらも世界の経済大国とはとても言えない状態です。特に日本の衰退は急速すぎると思います。

米国防総省の資料によれば、米国ですらこのままいけば２０２８年に、ＧＤＰも、さらには軍備や軍事も中国に抜かれるという予測です。それどころか、その期日が2026年に早まる可能性もあるといいます。そして、その頃の日本はというと、中国や米国の5分の1のGDPも保てるどうか……。

そもそも、これだけ教育が発達し、皆が勤勉に働き、汚職が蔓延《はびこ》っているわけでもないのに、日本のGDPが伸びないというのは、政府の財政がうまくいっていないからでしょう。適切な財政出動を適宜行なっていれば、ここまで不景気が続くことはなかった。国の借金を増やさないようにと30年も緊縮財政を敷き続け、日本を没落させた政府の罪は大きいと思います。

第一章で、中国資本の日本進出が進んでいることを書きましたが、米国のGDPが中国に追い越される頃、最悪の場合、日本は実質的に中国の支配下に収まり、ほとんど中国の新しい省の一つと化しているかもしれません。そうなれば、元に戻すことは2度と不可能でしょう。食い止められる最後のチャンスは今なのに、1番の問題は、日本人がそれを危機と感じていないばかりか、没落をさらに早めるような行動ばかりしていることです。

今回の新型コロナのワクチンでは、日本は独自の開発が遅れました。日本の医薬品の貿易赤字は2000年度は2千億円超だったのが、2015年からはずっと2兆円を超えています。25年ぐらい前は、ドイツでかかりつけの病院に行くと、医師が「すごくいい薬がある。日本の薬だ」などと言ってくれて嬉しかったものですが、この頃、とっておきの新薬といえば、たいてい米国製ばかりです。このままでは、日本の製薬会社はジェネリック専門になってしまうというのは悲観的すぎるでしょうか。

お金を出さなければ進まないのは他の研究開発も同じで、頭脳だけでは始まりません。それなのに、日本の科研費は2010年が頂点で、以後は2014年まで減り続け、その後は足踏み状態。今や中国の半分にも及ばない。その中国は2016年からの5カ年計画で、特に基礎研究に力を入れており、さらにIT、電気自動車、バイオ、宇宙開発などにも手を広げ、莫大な予算で世界中の科学者を集めています。日本の教育には、小学校から大学まで多額の血税が注ぎ込まれているというのに、そこで養成された日本人研究者が、今や中国に引き抜かれ、彼の地での研究に従事しているというのは頭脳と国富の流失に他なりません。これは、政府が潤沢な研究費を出せば防げたことではないのでしょうか。

他の国が、基幹産業に莫大な予算を投入しているというのに、日本政府は、日本の虎の子である自動車産業も、苦慮している重電メーカーも医薬品メーカーも一向に救わない。そうするうちに、かけがえのない技術がどんどん外国に買われていきます。信じられないほどの無戦略です。

一方、2018年にOECDが発表した小学校から大学までの教育に対する公的支出のGDPに占める割合では、2017年、日本はたったの2・9%で、38カ国中の37位でした。しかも、驚くべきことに、20年来、減少の傾向にあるのです。さらに言うなら、日本ではその代わりに家庭が負担している教育費が大きい。これが進めば、家庭の資産の格差が子供の教育の格差となって現れるという、平等な社会からは程遠い姿になってしまいます。

こうして教育費をケチっている間に、当然のことながら、過去にはずっと米国に次いで2位を保っていた日本発の学術論文の数も減り、2018年に全米科学財団が発表したところによると、2016年は1位が中国、次いで米国、インド、ドイツ、イギリスで、日本は6位に落っこちました。また、論文の質を表すとされる被引用数も、前回の3位が今は6位です。

2020年、菅政権が出来てまもなく、日本学術会議の会員任命拒否問題が起こり、政府による人事介入、および学問の自由の侵害だとして抗議が殺到した事件がありましたが、日本の学者には「軍事研究に慎重であれ」と言い、軍事に少しでも関係のありそうな研究には激しい圧力をかけ、断念させているという事実が指摘されていました。しかし、軍民一体の中国の「中国科学技術協会」とは、協力覚書などを結んでいるというのです。いうまでもありませんが、中国に限らずどの国においても、多くの研究は軍事につながっています。インターネットも、米国の軍事研究の副産物です。いっそのこと、日本学術会議に付いている年10億円の予算は、世界のあちこちで戦っている企業の研究機関に回した方がずっと良い。日本学術会議の会員は、別に、日本学術会議がなくても、それぞれの職場で自由に〝平和な〟研究に携わればいいだけの話です。

いずれにしても、日本の科学力は、今、決して高くない。だからワクチン製造も出遅れたのだろうと思います。

ちなみに今回の新型コロナのワクチン開発では、米国とドイツが合わせて37億米ドルの資金を提供しました（米国22億、ドイツ15億）。3位が英国で5億米ドルだそうです。その結果、やはりワクチンは、自由主義国の中ではこの3国の製品が世界を制しました。

朝日の主張は〝満開のお花畑〟

米国には、保健福祉省という巨大な省があり、その下部組織として、あらゆる意味で感染症に対応するための研究機関や実働部隊が備わっています。例えば、その一つである構成衛生局には士官部隊（ＰＨＳＣＣ）までが含まれているといいますから、日本の厚労省とはまるで別物です。米国では、感染症はただの疾病ではなく、兵器の一部となりうる可能性も重視されているのでしょう。その認識は、おそらく中国でもロシアでも同じで、つまり、これらの国々でコロナに対するワクチンの製造が早かったのは偶然ではなく、元々、武器としての細菌に対抗できるワクチンの研究が競われていたからなのです。日本の厚労省に、そのような意識があるかどうかはわかりません。

いずれにしても、米国やヨーロッパ、イスラエル、インド、そしてパキスタンまでもが、自分たちの領土が仮想敵国のミサイルの射程内に入りそうだとわかった時点で警戒度が増し、自分たちも同じだけの軍備を構築して抑止力としなければならないと考えます。つい最近も、英国が、「（ロシアの）脅威は流動的で強まっている。我々の安全保障上の体制が十分かどうかを常に確認する必要がある」（ラーブ外相）として、核弾頭の保有数の引き上げを発表しました。「多くの国々が兵器の増強を図るなかで、英国の核抑止力が最低限のレベルを下回ることはできない」という明確な理由です。

ところが、日本の平和ボケが顕著だったのが、またもや「朝日新聞」。「英国も加盟している核不拡散条約は、核保有国に誠実な軍縮交渉を義務づけており、これに違反する疑いがある。貴重な国際ルールを維持するうえでも、撤回すべきだ」と、まさに満開のお花畑です。日本が米国の核に守られていることは、すっかり棚に上げているところが朝日新聞らしいと言えば、言えるでしょう。

さらに、英国が新型空母をアジア地域へ派遣しようとしていることについては、「グローバルな存在感を高めたいようだが、核増強を含む砲艦外交まがいの行動を強めるのなら、時代錯誤に映る。日本政府が英国はじめ欧州との連携を深め、国際秩序の安定に努めるのは理にかなう。ただし、『核なき世界』の目標に背く動きに対しては、被爆国として明確に反対するべきだ」そうです（2021年3月18日「社説」）。朝日新聞にとっては、「国防」というのは口にするのも悍《おぞ》ましい言葉なのかもしれません。

しかし、どこかの国が日本を脅しにかかった時、平和憲法を水戸黄門の葵《あおい》の紋所の印《いん》籠《ろう》の如く掲げても、誰もひれ伏してはくれません。日本に核ミサイルの照準を合わせている国々に向かって、「『核なき世界』の目標に背く動きに対しては、被爆国として明確に反対」すると言ってすましていること自体、噴飯物ではないでしょうか。

復活したロシアの脅威に対抗する北欧諸国

2016年、スウェーデンはバルト海に浮かぶ自領であるゴットランント島に、冷戦後、撤退していた兵力を戻しました。さらに地対空ミサイル防衛システムを配備し、シェルターを作り、今、着々と核攻撃に備えています。ロシアの戦闘機がスウェーデンの領空に侵入したり、潜水艦がストックホルム沖を航行したりということが度重なり、緊張が高まっているからです。いうまでもなく、この状況は、中国が日本の領土、尖閣周辺でやっていることに酷似しています。

日本では、スウェーデンというと永世中立国として、軍備などとは無縁の国であるかのような錯覚に陥っている人も多いようですが、この国は武装中立国家です。しかも現在、ロシアの脅威に対応して、兵力を5・5万から9万に増強中。2010年に停止した徴兵制も復活させました。しかも、今後は、年間の徴兵数を8000人に倍増させ、冷戦後に徐々に減らした連隊も復活させる予定だといいます。そのために2020年10

月、スウェーデン議会は年間の軍事費を40％も増額したのです。スウェーデンの総人口は1000万人です。東京都よりも小さな国が、軍事大国ロシアの脅威から自国を守ろうと懸命に防衛を強化しているわけです。

なお、スウェーデンのお隣のフィンランドも、やはり2022年より軍事費を大幅に増強するといいます。フィンランドの首相は若い女性で、しかも左派ですが、国防は国家と国民の基盤であるという考えはぶれません。新しい艦隊を整備し、さらにサイバー攻撃などに対する防衛を強化していく構えだといいます。

スウェーデンとフィンランドは安全保障での結束を深めており、両国ともNATOの加盟国ではありませんが、NATOとの連携は強めています。2018年のNATOの演習は、冷戦以来、最大のものでしたが、それにも、両国は、5万の兵力、1万の車輌、250機の航空機および戦闘機、65隻の船舶で参加しました。

特に最近、これらの国々を震撼させたのが、2020年10月に発射実験に成功したといわれるロシアの極超音速ミサイルです。音速の9倍の速度を持ち、射程距離1000キロといわれるミサイル「ツィルコン」がロシアの戦艦から発射され、バレンツ海の標的に見事命中したとされる映像がインターネットでも見られます。ちょうど誕生日にその報告を受けたプーチンは、「これは軍だけでなく、ロシア全体にとっても大きな出来事だ」と称賛したといいます。それに対し、スウェーデンやフィンランドがいち早く反応しているほか、米軍も2021年2月に長距離空爆機を北極地域に配備しました。このままでは、まもなく冷戦時代に後戻りしそうな雰囲気ですが、これが現実なのです。朝日新聞が後1000回、「被爆国として断固反対」したところで、その声は爆音にかき消されるだけです。

当然のことながら、安全保障に敏感な国々は、エネルギーの確保にも抜かりない。スウェーデンの電気の多くはバイオなどの再エネと原子力でやっていますし、フィンランドは現在3割強の電気を賄っている原発を増設し、2035年にはカーボンニュートラルを達成するといっています。ちなみに、フィンランドは世界で初めて、地下450mのところに核廃棄物の最終処分場を建設し、最低10万年は閉じ込めてしまうことを決めた国です。両国では緑の党も原発には賛成、また、最終処分場の安全性も確認しているといいます。日本が真似るべきなのは、ドイツではなく、スウェーデンであり、フィンランドです。

なお、北極地帯は、戦略上、極めて重要な地域となりつつあり、この氷の平原の上で、すでに長らく、米国、ロシア、デンマーク、ノルウェー、カナダが睨み合っています。2018年、トランプ前大統領がグリーンランドを買えないかと言い出し、物議を醸したのは記憶に新しいことですが、将来、氷の面積が減少することを見込んで、資源や、航行ルートを狙った中国までが、この地域に積極的に進出し始めています。特に、スエズ運河のリスクが明らかになった今、そのスピードが進むだろうとも言われています。世界の国々は、皆、生き延びるため、必死に考え、戦略的に動いているのです。

もし、日本政府が、「ウイグルやチベットは抵抗するから犠牲が膨らむのだ。なるべく相手の意思を尊重して行動すれば、平和は保たれる」とでも思っているとするなら、私たちの将来はかなり暗くなるでしょう。これは私たちが、丸腰で平和憲法を掲げていれば平和が保たれるという考えに寄りかかって70年も過ごしてしまった報いかもしれません。

第十三章　したたかなカーボンニュートラル戦略を

今こそ見直せ「石炭火力」

２０２１年３月29日の日経新聞によれば、政府は石炭火力発電所の輸出支援について、新規案件を全面停止する検討に入ったといいます。「脱炭素を重視する米国、ヨーロッパと歩調を合わせ、温暖化ガスの排出量が多い石炭火力が増えるのを止めるため」だそうです。つまり、これにより、石炭火力の輸出には、政府系金融機関による低金利の融資がなくなり、その結果、日本のインフラ輸出の柱が崩れることになります。これもまた、ＥＵの動きに足並みを合わせた結果でしょう。

発展途上国では電気は常に不足しています。インドもアフリカも、これからまだまだ電気を必要とするでしょう。それは、戦後の日本でも同じで、私たちの先達が必死で大型ダムを作り、火力発電所を作り、そして、原発を作ったから、奇跡の経済成長を果たせたのです。

石炭火力プラントの輸出の首を絞めにかかった先進国は、アフリカやインドは、いったいどうやって電気を調達すれば良いと考えているのでしょう。世界には、いまだに電気の恩恵を受けない人が、7億人もいると言われます。

太陽に恵まれている国では再エネも一つのオプションでしょうが、広大な敷地を使い、しかも夜は無くなる太陽光の電気だけで工業化が進むとは思えません。しかも、パネルは砂をかぶると性能が落ちますから、砂漠には不向きなような気もするし、発展途上国にとって、一番安価で頼りになるのは、今のところ石炭火力です。石炭なら埋蔵量も豊富で（可採埋蔵量は200年分とも言われる）、原発ほど高度な安全対策もなくて済む。運転もメンテナンスも途上国でも十分に出来ます。ですから、開発援助をするつもりなら、良質な石炭火力発電所の建設支援をするのが一番有意義でしょう。

そもそも、欧米と日本がCO_2を理由に石炭火力発電所の輸出を止めたからといって、多くの発展途上国が石炭火力を諦めるとは考えにくく、結局、中国やロシアが大喜びで建設を進めるだけの話です。それなら、日本が輸出した方が、当然のことながら、日本に大きな利益が落ちますから、よっぽどましではないですか。最新のコンバインドサイクル発電所などは大幅な燃焼効率の改善で、CO_2の排出も以前に比べて画期的に抑えられています。この点でも、日本は世界最先端の技術を有しているのです。

日本は、安いものを大量に輸出して生きていける国ではありません。日本の歩むべき道は、他の国がそう簡単にはできない精巧な製品の開発であり、そのハイテクを売ることです。そのためには、教育が何よりも大切ですが、悲しいことにそれも疎かにされ、研究の環境はどんどん悪化していることはすでに書きました。このまま、没落が進み、もし、日本が将来、安物の大量生産でしか生きていく道がなくなったとしたら、それこそ悲劇です。

なのに、なぜ、日本政府は、高度な石炭火力プラントの輸出を妨害するようなことをするのでしょう。やはり、電気がいくらあっても足りない中国は、原発も、石炭火力も、再エネも、発電できるものは何でも建て、輸出しています。特に石炭火力は、1週間に1基完成していると言われるほどのブームだといいます。このままでは、彼らが世界中の発展途上国に火力発電を建てることになるでしょう。

日本は「環境先進国」だ！

今やCO_2は、特にEUでは地球を滅ぼす元凶のような位置づけとなっています。日本は、別にその動きに水を注す必要はもちろんありませんが、率先して同じ方向に突っ走っていく必要もありません。それは、日本経済にとって害が多すぎます。EUに加盟しているわけでもないのだから、足並みを揃える部分と、独自の方針でやる部分を、精査するべきではないでしょうか。足並みを揃える部分では、CO_2の削減のために原発を重視し、そのために、安全性の向上に力を尽くしているという事実をもっと堂々と発信すれば良いのです。

日本人が、信じなくてもいいのに信じているのが、日本は環境後進国であるという説です。特に、日本メディアがCOP（締約国会議）の度に、「日本が化石賞を受賞しました」などと自嘲的に取り上げているのは、まことに醜悪です。

化石賞というのは、環境NGOのネットワークであるCAN（気候行動ネットワーク）が出しているパロディー賞で、COPにオブザーバーとして参加している彼らが、毎年、会場のフロアでやっている「悪ふざけ」のようなものです。小泉環境相が「大騒ぎで報道しているのは日本だけ」と言ったと報道されていましたが、それは本当です。化石賞などなど少なくともドイツでは話題になったことさえありません。なのにWWFジャパンはホームページで、「多くのCOP参加者が詰めかける一大イベントで、その様子は国内外のメディアを通して世界に発信され」とはしゃいでいました。

経産省の資源エネルギー庁のページによれば、「日本は2013年度以降5年連続で、温室効果ガスの排出量を削減しています。これはG20の中で日本と英国のみで、合計で12%の削減は、英国に次ぐ削減量であり、直近の着実な対策でも世界をリードしています」と記してあります。小泉環境相は、なぜ、それをちゃんと発信できないのでしょう。

2019年の日本の化石賞の受賞理由は、当時の梶山経産相の「火力発電所は選択肢として残していきたい」という発言だったといいます。しかし、産業国日本が電力を安定供給するためには、火力発電所を選択肢として残すのは当然のことです。原発もろくに動いていない今、火力まで早急になくしては電気がなくなります。エネルギー貧国の日本が停電を起こさないためには、電源は多角的に、安価に、そして周到すぎるほど周到に確保していかなければならないのです。つまり、梶山氏は、政治家として当然の、しかも妥当な発言をしたに過ぎません。

それをちゃんと主張しないまま、火力発電の首を絞め、俯瞰的な戦略もなしにずるずると再エネに移行していくと、日本のエネルギー市場は近い将来、中国の草刈場になっていくでしょう。中国の国有企業、上海電力は、日本での新エネルギーの開発と事業を行うために、２０１４年、全額出資の子会社、上海電力日本を設立し、丸の内に本社を構えました。２０１９年には大阪、兵庫、つくば市、那須などで太陽光発電をスタートし、その他、用地買収を進めている最中で、そのために中国の国有の中国銀行から59億円の融資をうけたそうです。

中国では、海外で不動産や資源エネルギーへ投資しようとする企業は、融資のための審査を比較的簡単に通過できるといいますから、今後、中国の再エネ事業者は、そうでなくても安い太陽光パネルに加え、有利な融資という抜群の条件で、どんどん日本市場に入ってきます。日本企業はとても太刀打ちできなくなっていくでしょう。エネルギーのインフラを他国の企業に握られることがどれだけ危険なことであるか。そして、それを放置しようとしている日本政府の無責任さを、我々はもっと真剣に考えるべきではないでしょうか。

他人事の「天声人語」

なお、これと同じことが、原発プラントの輸出でも起こっています。日本原子力産業協会のまとめによりますと、２０１１～１９年に世界で送電を開始した原発58基のうち、中国製とロシア製が44基と、約75％を占めたそうです。多くは両国内で建設された原発ですが、ロシアは２０１１～１９年に国外でも５基を稼働させました。ロシアは今、世界の原発輸出市場で圧倒的な勢いを誇っています。チェルノブイリで重大な事故を起こしたロシア（ソ連）ですが、あの時でさえ、彼らは原発を止めることはありませんでした。

ノルウェーの環境保護団体「ベロナ」によれば、ロシアは現在も、インド、トルコ、イラン、バングラデシュ、ベラルーシで計８基の原発を建設中だといいます。さらに、フィンランドやハンガリー、スロバキア、エジプトなど９カ国の18基が受注済みか受注の方向にあるようです。

インドは現在21基の原発を持っていますが、ほとんどが自国製の小型原子炉（加圧水型重水炉）なので、電気が圧倒的に不足しています。また、その他の発電は、あまりハイテクではない石炭火力でやっているので、多くの町で大気汚染が非常に深刻です。そこで、原発電気のシェアを2032年までに二倍以上に増やしたい意向で、それに先がけ、日本とインドは、2016年、原子力協定に署名しました（2017年7月発効）。署名後の日印会談ではモディ首相が、「原子力技術を持つあらゆる国と協力を深めたい」と言っています。日本の技術協力に大いなる期待をかけていたのでしょう。

ところが、もちろん反対をする人たちはいます。インドが核保有国でありながら、NPT（核拡散防止条約）に未加盟のため、朝日新聞は、「核不拡散に背いた国に原発を売る愚は許されない（2016年11月3日）」と書きましたし、その他、後進国インドをダシに日本が原発を売り込み、金儲けをするのはけしからんとか、あるいは軍事転用の心配をする声もあります。ただ、これらは間違った認識です。インドには貧しい人がたくさんいますが、後進国ではありません。また、軍事転用なら、日本の助けなど借りなくてもできるでしょう。インドの原子力技術の研究は進んでおり、高速増殖炉の開発や、核燃料サイクルの研究にも余念がない。そもそも、インドは核保有国です。

インドが核を持つに至ったのは、パキスタンが弾道ミサイルの発射実験を行ない、軍事的緊張が高まったからでした。実験はすべて地下で行ないましたから、自国領ポリネシアを30年にわたって核実験場にしたフランスや、同じくウイグル地区を60年代から90

年代まで核実験場として使っていた中国などとはだいぶ違います。

また、毎日新聞も日印原子力協定に関しては、「被爆国として日本が維持してきた道義は、この協定で傷ついたのではないだろうか」（2016年11月12日、日印原子力協定調印の翌日）と、ピントの外れたことを書いていました。核兵器である原爆の廃絶と、核の平和利用である原発の区別がついていないようです。朝日新聞の天声人語は、「福島原発の周辺では、今も5万人以上が避難を強いられており、廃炉作業は延々と続いている。そんな国がなぜ堂々と原子力技術を他国に供給できるのだろうか。理解に苦しむというほかはない。（2016年11月12日付）」と、問題のすり替えを図っていますが、理解に苦しむのはこちらです。要するに、この「天声人語」氏は原発を悪いものとして攻撃しているだけです。そして、「インドでは人口13億人のうち3億人が電気のない生活を送る。原発以外で貢献する道はないのだろうか」でおしまい。見事に他人事でした。

日本政府の後押しが必要

2021年4月、フランス電力（EDF・ほぼ国営）とインド原子力発電公社の間で進んでいた原発プロジェクトが、受注の方向に進んでいるというニュースが流れました。

フランス電力が売り込んでいるのはEPRと呼ばれる第三世代の加圧水型原子炉6基で、建設予定地はジャイタプール。出力は合計960万kWで世界最大規模。完成した暁には、7000万戸の電力が賄えると言います。

このプロジェクトは2000年代から交渉が進んでいましたが、福島の原発事故で暗礁に乗り上げてしまい、その後、2018年に痺れを切らしたマクロン大統領が直々インドを訪れ、強力に後押ししたおかげで、再び軌道に乗ったものです。ドイツのメディアはそれについて、消えるべきはずの原発が静かに忍び寄ってくるような不気味な書き方をしていました。しかし、最近のフランス政府は、2050年のカーボンニュートラルは原発抜きにはあり得ないとして、長期的な原発路線を堂々と主張しています。

日本企業はインドの原子力市場からはすでに撤退してしまっていますが、このプロジェクトに得意分野を以て下請けで復活するという選択肢もあるのではないでしょうか。それは、日本の原子力産業にとって、せっかく持っている技術を錆びつかせないためのチャンスでもあります。ちなみに、フランス政府が、原子力産業にせよ、自動車産業にせよ、自国の産業を強力に後押しをするところは、日本政府も少し見習って欲しいものだと思います。

多くの西側自由主義諸国で、福島の原発事故の後、原発に対する否定的な空気が強くなったことは確かです。日立製作所は、２０１６年、国策変更で原子力計画が頓挫したリトアニアの他、２０１９年には、英国で進んでいた2基の原発の建設計画も軌道に乗らないまま、失ってしまいました。ただ、英国の場合は、原発の建設を諦めたわけではなさそうなので、いずれ他の国が建設することになるかもしれません。これも、日本政府が本気で助けていたら、実現の可能性のあったプラントだったのではないでしょうか。

イギリスは、長らく原発を建設していなかったため、その技術を失ってしまったと言われています。思えば、ついこの前までは、原発を設計し、建設し、運転できる数少ない国の一つが日本でしたが、この状態が続けば、やはり日本の原子力産業の貴重なノウハウも失われていくでしょう。

それに比べて、中国とロシアの企業の背景には国家が付いていますから、勢いもスピード感も違います。しかも、国内でどんどん建設しているので、技術はメキメキと上がり、価格は下がっていくはずです。大型の原発の建設に関しては、西側の国々はもうこの2国には勝てなくなるでしょう。

では、日本は何をすれば良いかというと、小型の柔軟なタイプの原発へのシフトとなるのでしょうか。ドイツもこの分野にはすでに目をつけています。次世代の原発は、米国では一歩先に承認される見込みですが、この分野における日本の役割には、大きな可能性が秘められているような気がします。米国との技術協力などを含めて、もっと前のめりになれるよう、政府の力強い支援が望まれるところです。小型炉のメリットは、工場で設備をつくって現場に運んで設置できる点にあります。つまり、低コストかつ短期間で建設できるのです。また、万が一の事故の際も、敷地外に放射能が拡散することはないといいます。米国が新型原子炉の開発に力を入れている背景には、中国やロシアとのエネルギー競争に負ければ国家の存亡にかかわるという危機意識があります。

中国が反対することをやれ!

青森の六ヶ所村で、核燃料サイクル施設が稼働する日が粛々と近づいています。再処理工場の建設が始まった1993年頃は、まさか原発が、火力発電が、そして自動車産業までもが、これほど先細りになるなどとは、誰も想像していませんでした。この間、日本ほど経済成長をしなかった国は例がないほどです。それなのに、国民の間で深刻な抗議の声も上がらないのは、良いことだか、悪いことだか……。このままでは、政権が独裁政権に代わっても、多くの国民はおとなしく受け入れてしまうような気さえします。

中国は、六ヶ所村の再処理工場に対して、ずっと危惧の念を表明しています。あたかも日本がこっそりと核兵器を作ろうとしているかのような言い種です。その原因は、もちろん再処理と濃縮の技術です。六ヶ所村で取り出すプルトニウムは、わざわざ純度を低くして核兵器には出来ないようにしてありますし、常にＩＡＥＡの査察官に厳しく監視されていますが、それでも中国は抗議をやめません。

中国はＮＰＴが認める核保有国ですが、まだ再処理の確固たる商業技術は手にしていないらしいので、それを日本が持っていることが許せないのでしょう。あるいは本当に、日本が核兵器を製造することを恐れているのかもしれません。

中国は、原発をどんどん増やしていますから、使用済み燃料を効率的に活用するため、早晩、再処理や、ＭＯＸ燃料の製造を開始するだろうと思われます。しかも、現在200発ぐらい持っているといわれている核弾頭を、まだ増やしていく方針です。つまり、プルトニウムやウランを大量に取り出せるようになれば、彼らこそ、本当に軍事転用する可能性が大です。ＮＰＴの核兵器国ですから、ＩＡＥＡの査察も入りません。

中国も北朝鮮も、彼らの核兵器は日本に向けられています。そして、今後は間違いなく、その数が増えるのです。この2国も韓国も、まるで国是のように反日主義を貫いていますが、特に中国の目標は一貫して「日本の弱体化」です。そして、それが今のところ、大成功しています。通商における日本の中国依存は、中国からの輸入がストップすれば、車も作れない、建設工事もできないというほど進んでしまいました。また、軍事においては、領土や領海を侵犯しても、日本はもう何も言わないというのが常態となっています。なぜ、日本が中国の横暴を看過しているかといえば、日本は抑止力を持たないからです。

抑止力というのは、攻撃したら、仕返しされるということで成り立ちますから、両方が核兵器を持っていれば、どちらも手を出せない。核兵器というものは、戦争をするためでなく、攻撃されないため、つまり、戦争をしないために持つものです。ところが、日本はそれがないため、抑止力を持たない国、攻撃しても仕返して来ない国です。中国にしてみれば、日本を自分のものにするまで、この優越をどうにかして保ちたいと思うのは当然でしょう。

六ヶ所村でのウランの濃縮度は5%以下。平和利用のためなら、これで十分です。そして、何度も言いますが、ＩＡＥＡの査察官が年に二十数回も、その濃度を上げたりしないよう、厳重に見張っています。

しかし、日本が高度なウラン濃縮技術を持っているという事実は、その気にさえなれば、リミッターを外し、配管に細工を加え、99％の高濃縮ウランを製造し、それを使って原爆を作れるということを意味します。高濃縮ウランさえあれば、原爆作りはたいして難しいことではないらしいし、もちろんプルトニウムでも原爆は作れます。六ヶ所村で日本が育んだ技術には、良きにつけ、悪《あ》しきにつけ、そういう「仮定」がくっついているのです。これを抑止力とみるかどうかは、もちろん、想像力の問題です。

一方、そのような想像力を一切持ち合わせていないのが日本人でしょう。ミサイルが自分たちに標準を合わせていても穏やかに暮らせるのですから、いまさら抑止力も何もありません。しかし、他の国の人々は、そうは考えません。特に日本を仮想敵国にしている国は、日本人も虎視眈々と、プルトニウムやウランの軍事転用を狙っているかもしれないと勘ぐるでしょう。

日本がごく短期間で核爆弾を製造し、報復してくるかもしれないとすれば、中国にとっては由々しきことです。そう簡単に威嚇も攻撃もできなくなって、自分たちの優越には影が差します。中国が六ヶ所村の再処理工場や濃縮工場に神経質に反応するのは、そのせいかもしれません。

一方、日本にしてみれば、勘ぐられたおかげで、日本への核攻撃を思い止ませることができるなら、これほど結構なことはありません。一〇〇%民生用の施設によって、何もやましいことをせずに、堂々と広義の抑止力を手に入れることができる。微々たる抑止力でも、まるでないよりはずっとましです。資源貧国の日本にとって、核燃料サイクルの貴重さもさることながら、再処理や濃縮の技術の意義を、このように安全保障の観点から考えてみることも大切なのではないでしょうか。この恐ろしい弱肉強食の世界で、視野が少し開けるような気がしませんか。

歴史は民族の「物語」

2021年4月12日、日本に青天の霹靂《へきれき》ともいえる事態が起こりました。自民党内に新しい議員連盟が作られ、その設立総会が開かれたのです。その名も「脱炭素社会実現と国力維持・向上のための最新型原子力リプレース推進議員連盟」。

菅政権が目玉にしようとしている2050年のカーボンニュートラルを達成するためには、原発の新設・増設・リプレース(建て替え)が不可欠であるという認識が言明されました。

議連顧問には安倍前首相、甘利明元経産相、細田博之元幹事長などが名を連ねており、会長は稲田朋美元防衛相で、事務局長は滝波宏文参議院議員。冒頭に講演をしたのが、ジャーナリストの櫻井よしこ氏と奈良林直東工大特任教授（北大名誉教授）。この両者が、日頃から原発の必要性を弛まなく説き続けてきた人たちであることは言うまでもありません。

脱炭素に向けた動きについては、議連の会長を務める稲田氏が、「エネルギーコストの意味で国力低下のリスクがある」と指摘しましたが、これは中学生でもわかることです。なのに、今までどの政治家もそれを避けて通ってきた。

それどころか菅首相は、カーボンニュートラルと言っていれば、国民受けが良いからか、実現の裏付けもないまま、「やればできる、頑張ろう」的に、カーボンニュートラルを進めようとしています。いわば亡国の政策です。

なお、公平を期すために言うなら、実は安倍前首相も、首相であった間は同様でした。「可能な限り原発依存度を低減」という政府の「エネルギー基本計画」に記された文言を修正することもできなかった。いや、支持率を気にしたために、わざと放置したのでしょう。エネルギー政策というのはいつの間にか、正しいことを言うと国民が付いてこないのでどうしても踏み込めないという、政治家にとっての魔界のようになってしまいました。

今、その安倍前首相が、「エネルギー政策を考える上において、原子力としっかり向き合わないといけないのは厳然たる事実だ」と語ったのですから、ようやく正しい方向に走る列車に乗り換えたということでしょうか。もう少し、早く乗り換えて欲しかったとは思いますが、でも、まだ今なら、今夏に改正される政府の「エネルギー基本計画」の策定にはギリギリ間に合うかも知れず、希望が持てます。その上で、「原子力としっかり向き合え」ば、これは菅政権が拘るカーボンニュートラルへの一番の近道でもあるのです。

ここで焦点となるのは、もちろん、改正「エネルギー基本計画」の中身です。同議連は、安価で安定的なエネルギー供給と脱炭素の両立を実現する上で、原発を「欠かすことができない基幹的なエネルギー源」と位置付けています。また、稲田氏は、「エネルギー基本計画」にある「可能な限り原発依存度を低減する」という文言を削除すべきだとまで考えているようですし、日本が持つ原子力の技術を「我が国が誇れる国産の技術」として重要視し、それが失われないよう、今後も活用することを目指しています。それどころか、新規のエネルギー基本政策には、新増設やリプレースの推進を明記することを目標とするそうです。つまり、冒頭に書いた通り、まさに青天の霹靂なのです！　この方向転換が成功し、原発が動き始めれば、日本経済はあっという間に好転し、世の中が明るくなると思います。

「汚染水」ではなく「処理水」を放出するのだ

なお、ここで奇しくも思い出すのは、戦後のＮＡＴＯとドイツの関係です。ＮＡＴＯは、当初は「ロシアを締め出し、ドイツを抑え込む」ための西側の軍事同盟でしたが、ソ連の脅威が増すにつれ、ドイツを押さえ込んでいるわけにはいかなくなった。そこで米国は速やかに作戦を変更し、西ドイツに連邦軍を創設し、軍備を増強させ、さらに西ドイツとの核のシェアリングにまで踏み込みました。こうして西ドイツは、対ソ防衛の最前線となったわけです。ドイツには今も、20発以上の米の核弾頭があるといいます。

それと同じことが、今、アジアで起こっているのではないでしょうか。つまり、この急な動きは、米国の安全保障と連動している。対中防衛の枠組みで考えた場合、現在、米国がアジアで信頼できる最大の駒は、日本以外にないでしょう。これまで日本が強くならないよう、軍備のみならず、経済もメディアも教育も、さまざまな方法でコントロールしてきた米国ですが、中国の台頭で作戦変更の必要に迫られた。つまり、地政学的に最前線となる日本の国力の増強は、アジアの平和のために必至だと考えたのではないでしょうか。そうだとすれば、これは、親中の傾向が強い菅政権にとっては、強烈な冷や水のはずです。

米国としては、日本との同盟を役に立つものにするためには、当然、日本の自立を妨げる政策は速やかにやめさせなければならない。そうでなくては、日本がますます中国側に引き込まれるという危機感が、米国側ではっきりと認識されてきたに違いありません。それが、最近の、日本のエネルギー政策の慌ただしい動きに現れているような気がします。このままいけば、おそらく米国はまもなく、日本は自国の防衛はもう少し自主的にやってくれと言うようになるのではないでしょうか。ただ、親中財界人と親中政治家の多い日本が、果たしてこの踏み絵を踏めるかどうか、私にはわかりません。

また、現在、脚光を浴び始めた日米豪印の協力組織クワッドも、この一環と考えればわかりやすい。クワッドは、特定の国を排除するものではないと言ってはいますが、事実上の対中国同盟です。米国がそこに日本を引き込んだわけですが、そもそも、日本が中国に尻尾を巻かず、参入したということが、まず画期的なことと言えるでしょう。

クワッドが対処すべき課題は軍事の分野のみならず、サイバーテロ、環境、人権などと幅広い安全保障となりますし、何と言ってもアジアが舞台。だからこそ、アジアの国である日本が、あらゆる案件に積極的に関与し、他の民主主義国家とともに行動することは、大変有意義だと思います。これを機に日本の存在感を高め、できれば政治力をも強めるチャンスです。腰砕けにならないことを祈ります。これまで日本はよく、お金だけ出す国として半ば軽蔑されていましたが、今後は、自らの手でアジアの海の安全を守り、国民がそれを支え、ひいては、国を守る気概に自然につながっていけば良いと思います。70年間、米国に押さえつけられてきた日本人の危機感や自衛本能が、どれぐらいの速度で活性化するのかは謎ですが、そうなったとき、日本は米国と、ようやく本当の同盟関係を築くことができるでしょう。日本に、私たちのこれまでの常識を超える暴力が襲いかかる可能性がかなり高くなっていることに、今こそ気づくべきです。

なお、日米安保の仕切り直しに連動しているのではないかと思われる動きは、他にもあります。たとえば、前述の新議連の総会の同日に菅首相が発表した、福島第一原発の敷地に溜まっている処理水の海洋放出のニュース。これも日本のエネルギー政策の前進を促すものです。菅首相が「福島の復興に避けて通れない、先送りできない課題だ」と言いましたが、こんな当たり前のことを日本の首相が公言するのに、10年もかかったのです。

言うまでもありませんが、福島のタンクに溜まっている水は朝日新聞が言うような「汚染水」ではなく、ちゃんと処理された水です。最先端技術によって、取り除ける有害物質はほぼ全て取り除き、取り除けないのがトリチウムなのです。だからこそ、トリチウム水は、定められた濃度以下に希釈し、定められた経路を通じて放出することが認められており、当然、世界中の原発では希釈した後、そのまま海や川に流すか、あるいは、気体にして放出しているケースもあります。つまり、トリチウムは、厳密に言えば、世界の多くの国々の水道水にも含まれているということです。もちろん、よほど大量に摂取しない限り、有害ではありません。

腹立たしいのは、福島の「汚染水」を非難している人たちが、そんなことなど百も承知でやっているのだろうと思われることです。特に、日本が海を汚すとして責め立て、いまだに日本からの水産物に輸入規制を掛けている韓国では、日本海沿いにある月城原発が、年間136兆ベクレルのトリチウムを、1982年の稼働開始以来40年近く、基本的に日本海に放出してきました。それに比べて、福島に溜まっているトリチウムの総量は約860兆ベクレルです。しかも東電は、それをそのまま流すのではなく、WHOの定める水道水の基準の7分の1にまで希釈して、少しずつ放出すると言っているのです。そんな丁寧なことをしている原発が、いったい世界のどこにありますか。

なぜ、日本だけが、いや、福島第一だけが、全世界の原発が流しているトリチウムを流せないのかといえば、福島の漁業関係者が風評被害を恐れて反対しているからです。もっとも、正しいことを言っても信じてもらえないのが風評ですから、それを恐れる漁師の人たちの気持ちもよくわかります。

巷では、ガンや神経痛の人の間でラドン療法が人気です。東京でも、高額な治療にも関わらず、なかなか予約が取れないと聞きました。トリチウムが安全だと言うことは信じず、ラドンが無害だということは信じる理由がよくわかりませんが、それが風評の風評たる所以でしょう。

つまり、解決法はただ一つ。政府が率先して風評撲滅のための広報をすることです。

地方議員が票を失うのが怖くてできないならば、復興相や農水相が、自分の首を掛けてもやるべきでした。環境相ならなおさらよろしい。しかし、誰もそれをしなかったどころか、韓国の抗議にさえろくに反論していない。しかも、日本の主要メディアまでが、福島のトリチウム水のことを非難するだけで、なぜか他の国のことは言わないのです。おかげで、日本はますます世界の環境を汚す張本人のような役割を背負わされています。これも、政府が日本の企業を救わない例の一つです。

今こそ、政治家は裏付けの希薄なカーボンニュートラルばかり宣伝していないで、間違った報道を訂正し、無事に海洋放出ができるよう応援して欲しいと思います。そして、福島の事故以来、地に堕ちてしまった原発の名誉挽回を図り、日本経済を復興させ、日本が真の独立国として生き残れるように、力を尽くして欲しいと、心より望みます。

歴史の検証を怠れば国は滅ぶ

1964年の東京オリンピックは、今も私の思い出の中で、キラキラと輝いています。それは皆が元気で、しかも、幸運な偶然が重なった上り坂の時代でした。そして、その4年後の68年、日本は西ドイツを抜いて、米国に次ぐ世界第2位の経済大国となるのです。どこの家でも毎年のように電化製品が増え、その後、見る見るうちに、日本の車が世界中で走るようになります。

それは、ウサギ小屋に住むワーカホリックと揶揄されながらも弛《たゆ》みない努力を続けてきた企業戦士たちのおかげでした。いや、その頃生きていた日本人全員の努力の賜物《たまもの》だと言っても良いでしょう。経済成長とともに、教育も医療も向上し、立派な道路や橋ができました。汚かった都会の川が綺麗になりました。それを見て、私たちは、日本は真の大国になったと思っていたのです。

しかし、それは大きな欠陥のある大国でした。そこからは、国家という観念と、国を守るという意識が完全に欠落していたのです。

東京オリンピックから57年。今、その報いがきているように思います。経済だけに注力してやってきたのに、その経済が成長をやめてしまった。しかし、国家という意識の欠けた私たちは、それを立て直すことがなかなかできません。国が強くなったように見えたのは、一時の経済成長による錯覚で、実際には、日本は国家としては弱くなったのだと思います。このままでは、まもなく私たちは、いったい将来、何で食べていけば良いのかという深刻な問題に直面することになります。

それなのに日本政府は今、産業を弱体させるかもしれない危険なカーボンニュートラルに突進し、原発を追い詰め、エネルギーの輸入に莫大な費用を注ぎ込み、石炭火力プラントの輸出も妨害し、優秀なガソリン車さえ手放そうとしています。国際競争に勝てず、多くのハイテク技術の研究が外国企業に売られようとしても、政府はそれを見て見ぬ振りです。なぜ？　それは、政府にも、私たち国民にも、国を守るという意識がないからでしょう。

では、どうすべきか？

私は二つの提案をしたいと思います。

まず、もう一度、私たちの歩いてきた道を振り返ること。つまり、歴史の検証です。というのも、私たちが学校で習ったのは、本当に日本人の歴史だったのかどうか、疑問に思うところがあるからです。

例えば、私たちはなぜ古事記や日本書紀には目もくれず、ヘレニズム文明など習っていたのでしょう。また、日本は主権在民であり、民主主義国家だということは習いましたが、主権の意味や日本国の成り立ち、ましてや皇室についてなど一切習っていません。その上、近代史として教え込まれたのは、日本がいかに悪い国であったかということばかり。日清戦争以来、日本の戦争が常に「侵略」目当てだったとすれば、元々、安全保障の概念など入り込む余地はない。だからといって、今、米国に守ってもらいながら「平和」憲法を自慢してみても、誰も褒めてはくれません。

日本の教育において、国家という概念はあたかも認識してはいけないものであるかのようです。そして、いつの間にか日の丸さえ、良からぬ国家の象徴かもしれないという曖昧なものとなってしまった。だから、日本人が屈託なく日の丸を振っているのは、今ではオリンピックやW杯の時だけです。そして、それを誰もおかしいとも思わないことこそ、おかしくないですか？

真実を追求し、自国の歴史を自分たちで作ることは、国家としての当然の権利であり、義務でもあります。ところが、どうも日本だけはその権利を放棄し、義務を果たしていないような気がします。日本という主体がなく、日本人自身の見解の欠落した歴史など、日本の歴史ではあり得ません。

もし、将来、中国がさらに力を蓄えたら、日本の歴史はさらに変わります。日本人の誇りがもっと小さくなり、おとなしく支配者に従うような歴史が作られるでしょう。中国がウイグルで行おうとしているのが、まさにそれです。ウイグルの人たちは、歴史を、伝統を、そして民族を消されようとしているのです。

私たち日本人が日本という国家の成り立ちや生い立ちを知り、誰が、どんな努力をして、この日本という国を守ってきたのかを知れば、今、私たちに迫っている危険が、炙り出しのように浮かび出してくるでしょう。しかし、これらの作業は、口を塞がれたら最後、もう二度とできません。歴史を知ることの重要さに気づいてください。

二つ目は、共同体の再構築です。現在、あらゆる意味で危機は迫っていますから、私たちは日本を守るために団結する必要があります。ただ、70年間も国家などと無関係に生きてきたため、国家も、団結も、まるでピンと来ない。

そこで、町内会といった、一番身近な公共の単位である小さな共同体から始めてはどうかと思うのです。例えば、皆で集まり、具体的な防災を考える。地震が起こった時に、子供や高齢者を守るために、誰が何をするかというような話は、顔が思い浮かぶだけに現実的で、フットワークも良くなるでしょう。自分の家族や近所の人を守るのですから、規模は小さくても、基本的な精神は国防と同じです。

現在、コロナのせいで突然、ホームオフィスが進んできましたから、これまで家には寝に帰っていただけの人たちが、地元のコミュニティに参加し、活動するには良いチャンスでもあります。高校野球が地元のトーナメントで始まって、最後には国民全員がテレビにかじりつく国家イベントになっていくように、草の根レベルの団結がだんだん大きな輪になっていくかもしれません。

国が貧しくなれば、私たちは主権を失います。平和も独立も維持できないし、もちろん、他国との友好や協力も難しくなります。ですから、子供たちの名誉にかけても、守れるものは、今、守るべきだと思います。産業も、それを支える教育も、なるべく高いレベルで維持し、エネルギーはなるべく自前で調達し、あらゆる意味で他国への依存を少なくしなくてはなりません。今は、日本のこれ以上の凋落《ちょうらく》を止める最後のチャンスなのです。

現在、東京オリンピックの機運は一向に盛り上がりません。もちろん、直接的には感染症蔓延のせいですが、しかし、私たちはそれ以前からすでに元気を失っていました。できれば、今、長い歴史を振り返り、日本を見直し、日本という国に対する誇りを取り戻し、子供達が、今日よりも明日、今年よりも来年がきっと良くなるという希望が持てるような国に、私たちがしていかなければならないと思います。

川口マーン惠美（かわぐち まーん えみ）
作家。日本大学芸術学部音楽学科卒、1985年にドイツ・シュトゥットガルト国立音楽大学大学院ピアノ科修了。ドイツ在住。2016年、『ドイツの脱原発がよくわかる本』（草思社）で第36回エネルギーフォーラム賞・普及啓発賞受賞、2018年に『復興の日本人論 誰も書かなかった福島』（グッドブックス）が第38回の同賞特別賞を受賞。そのほかの著書として『なぜ、中国人とドイツ人は馬が合うのか？』（ワック）、『そしてドイツは理想を見失った』（角川新書）、『移民 難民 ドイツ・ヨーロッパの現実 2011-2019』（グッドブックス）、『世界「新」経済戦争』（KADOKAWA）、『メルケル 仮面の裏側』（PHP新書）などがある。

無邪気《むじゃき》な日本人《にほんじん》よ、白昼夢《はくちゅうむ》から目覚《めざ》めよ

2021年6月28日　初版発行
2021年7月27日　第2刷

著　者　川口 マーン 惠美

発行者　鈴木 隆一

発行所　ワック株式会社
東京都千代田区五番町4-5　五番町コスモビル　〒102-0076
電話　03-5226-7622
http://web-wac.co.jp/

印刷製本　大日本印刷株式会社

ISBN978-4-89831-843-0